Nuestros cli

El seminario "El arte de servir al cliente con efectividad" ofrecido por el conferenciante internacional J.R. Román, resultó ser una experiencia enriquecedora y de gran beneficio a nuestra institución.

María Román Santos
Directora de Recursos Humanos
Hospital Auxilio Mutuo de Puerto Rico.

Nuestra compañía ha participado en decenas de seminarios. Sin lugar a equivocarme, no recuerdo ninguna actividad que haya calado tan hondo y provisto tan buenos e inmediatos resultados como su seminario "Motivando a nuestra gente".

Doris Padró
Gerente General, *Caribean Corporation.*

Con su participación nuestra Convención de Líderes fue impactada por su excelente conferencia y aún hoy se le recuerda con cariño y con mucho entusiasmo porque la semilla que sembró está en el corazón de nuestra gente. Gracias por traducir sus libros al portugués.

Henrique Almeida
Pronet, San Paulo, Brasil.

Nuestra Convención en Las Vegas, Nevada, fue un éxito y agradecemos su participación porque sabemos que su seminario "Despegue 2000" en camino al siglo XXI hará una gran diferencia en nuestra organización de ventas. Esperamos verlo pronto en nuestras futuras actividades. Su libro en inglés Let Motivated Our People es poderoso.

Richard L. Fannin
Director de Ventas,*West Bend Co.*, Wisconsin.

La Cámara de Comercio Americana de la República Dominicana está muy complacida con los comentarios de las personas que participaron en el seminario "Los retos del líder en el Siglo XXI". Agradecemos la participación del señor J.R. Román por su brillante exposición. Mucho éxito.

Elena Salazar
Directora de Relaciones Públicas
Santo Domingo R.D.

Extendemos la más sincera felicitación y el reconocimiento de la Cámara de Representantes de Puerto Rico, al señor José Ramón Román, por su extraordinaria aportación para mejorar la calidad de vida de los puertorriqueños y por su contribución a nuestra sociedad a través del éxito alcanzado como escritor.

Carlos R. Barreto Montañez
Secretario de la Cámara de Representantes del
Estado Libre Asociado de Puerto Rico.

El arte de SERVIR

"Sirviendo al cliente con efectividad"

J. Román

Publicado por
Editorial **Unilit**
Miami, Fl. 33172
Derechos reservados

Primera edición 2000

© 2000 por J. R. Román
Derechos reservados
Ninguna parte de esta publicación podrá ser reproducida, procesada en algún sistema que la pueda reproducir, o transmitida en alguna forma o por algún medio —electrónico, mecánico, fotocopia, cinta magnetofónica u otro— excepto para breves citas en reseñas, sin el permiso previo de los editores.

Cubierta diseñada por: Alicia Mejías

Producto 495130
ISBN 0-7899-0780-1
Impreso en Colombia
Printed in Colombia

Contenido

Dedicatoria

A mi esposa Candy que siempre ha sido un ejemplo de lo que es servir con efectividad. Su amor y comprensión ha permitido que nuestra carrera sea exitosa y que después de 23 años de casados sigamos juntos en pie de lucha y en victoria.

Gracias por apoyarme
J.R. Román

Agradecimientos

Quiero darles las gracias a todos los que me apoyaron para que este libro se hiciera realidad. Fueron muchas las personas que me respaldaron con sus consejos, experiencias y recomendaciones. Espero que esta obra sirva para mejorar el servicio que ofrece nuestra gente.

Agradezco a todo el equipo de trabajo de Editorial Unilit, especialmente a Larry Downs que confió en nuestro trabajo y perseveró para superar los obstáculos que se presentaron. Gracias a todas las personas que revisaron este libro y al equipo que diseñó la carátula.

A todos mis clientes, mil gracias porque me apoyaron de una manera muy especial y me permitieron servirles a través de nuestros seminarios que fueron experiencias enriquecedoras para poder desarrollar este libro. Espero que estas experiencias se puedan compartir con miles de personas que disfrutarán de esta obra.

A mi esposa Candy que me ayudó a desarrollar este proyecto. A mis dos hijos José Ramón III y Pablo José que siempre dicen presente ante el llamado de respaldar nuestros proyectos sin importar el sacrificio que conlleve.

Quiero agradecer a Dios por darme la sabiduría de poder presentar las ideas en una forma sencilla y práctica y por darme el propósito de servir a los demás, así como lo hizo Su hijo el Señor Jesucristo.

Introducción

Después de veinte años estudiando y preparándome para ayudar a miles de personas a ser más productivas y exitosas, llegué a la conclusión de que el tema de servir a la gente con efectividad es uno de mucha importancia y de gran vigencia en este tiempo. El mensaje que recibirá en este libro le ofrecerá unas herramientas poderosas que le ayudarán a brindar un mejor servicio y logrará satisfacer las necesidades de sus clientes.

Aproveche esta oportunidad de aprender en una forma sencilla y clara, cómo trabajar con clientes difíciles, cómo resolver problemas en una forma efectiva y cómo conseguir satisfacer a sus clientes, desarrollando una lealtad hacia su negocio que le permitirá crecer y ser más productivo.

Recuerde que conseguir un nuevo cliente le costará cuatro veces más que venderle a un cliente ya establecido. Su cliente satisfecho será el mejor promotor que usted puede tener, sin embargo, un cliente disgustado impactará negativamente a 120 personas por no haber recibido un buen servicio.

Lea este libro con detenimiento y utilícelo como referencia para fortalecer el servicio a sus clientes. Encontrará ideas para reforzar su inteligencia personal, su autoestima y su liderazgo, y que también le ayudarán a desarrollarse y a mejorar su calidad de vida.

Espero que la inversión que ha hecho en este libro le produzca grandes beneficios. Si es así, le pido que lo recomiende a sus amigos y asociados porque la primera década de este nuevo siglo estará llena de cambios y competencia. Para poder competir de forma efectiva y mantenerse en el mercado definitivamente tendrá que fortalecer el servicio a sus clientes.

1

¿Qué es servicio de calidad?

Cuando decidí escribir este libro después de haber visitado muchos países ofreciendo nuestro seminario "El arte de servir al cliente con efectividad", creí que era el momento preciso para compartir con usted nuestras experiencias. En muchos de los lugares que visité recibí un buen servicio. Lo que me ofrecieron estas personas marcó mi vida, porque me dieron un servicio de calidad.

En los tiempos que vivimos, de competencia, globalización y cambios continuos, es necesario estar consciente que para poder permanecer en los negocios hay que dar un buen servicio. Dondequiera que usted va —sea un banco, un supermercado, un hospital, un hotel o un restaurante—, usted espera recibir un buen servicio porque está pagando para recibir atención y satisfacer sus necesidades.

Servicio de calidad se puede definir como la oportunidad que usted tiene de ofrecerle a su cliente los recursos para que él satisfaga sus necesidades, pensando siempre que su responsabilidad es sobrepasar las expectativas de su cliente. Esto requiere acumular muchas experiencias a su favor.

Hay dos niveles para evaluar la calidad de servicio que usted ofrece:

- El procedimiento de su trabajo para ofrecer el producto o el servicio.
- Las relaciones personales con su cliente, a través de sus actitudes y las habilidades para servir bien.

Si usted visitara un restaurante donde lo reciben muy bien, el ambiente es acogedor y los mozos se esmeran para proporcionarle una velada inolvidable y minutos después la comida llega con un sabor desagradable, mal cocinada y fría, ¿se puede imaginar usted el panorama de esta situación? Hubo una excelente atención personal, pero una pésima calidad en la preparación de los alimentos. Esto nos confirma que el servicio de calidad se consigue a través del compromiso de todos los que participan en el proceso de ofrecer ese servicio. Debemos reconocer las áreas importantes en el procedimiento de trabajo para ofrecer un servicio de calidad:

1. *El tiempo que toma cumplimentar sus servicios.* ¿Cuánto tiempo debe tomar en desarrollar el servicio que su cliente desea? No debe ser tan rápido que el cliente piense que lo estamos apurando para que se vaya. Pero sí debe tener la suficiente rapidez para que el cliente reciba su servicio en un tiempo razonable.

2. *La coordinación de los recursos:* ¿Cómo podemos coordinar los distintos recursos que se requieren para desarrollar un servicio eficiente? ¿Cómo podemos evitar los retrasos o la acumulación del servicio que debemos ofrecer? ¿Cuáles serian las herramientas que podemos utilizar para medir la eficiencia de nuestro servicio?

3. *La flexibilidad a las necesidades del cliente:* ¿Se puede adaptar sus servicios a las necesidades y peticiones de su cliente? ¿Son sus clientes más importantes que su sistema de trabajo?

4. *La anticipación a las necesidades de sus clientes.* ¿Podemos adelantarnos a la necesidad de nuestros clientes?

¿Cómo sabe usted que su equipo de trabajo se anticipará correctamente a estas necesidades?

5. *Su sistema de comunicación garantiza que los servicios que usted ofrezca serán de calidad.* Su mensaje llega en una forma precisa, clara y a tiempo. ¿Qué sistemas utilizará para evaluar su comunicación con su cliente? ¿Cómo establecerá la comunicación con su cliente cuando ésta se interrumpa?

6. *La retroalimentación de sus clientes.* ¿Qué piensan sus clientes de su servicio? ¿Está recibiendo información de cómo ellos perciben el servicio que usted ofrece? ¿Qué sistema de retroalimentación usará para mejorar el servicio que está ofreciendo?

7. *La organización y supervisión.* ¿Cómo está funcionando su organización para lograr que los servicios se realicen bien? ¿Quién supervisa las operaciones de servicio al cliente? ¿Qué adiestramiento está desarrollando para lograr que su personal cuente con los recursos necesarios para ofrecer un buen servicio?

Debemos también reconocer las áreas importantes en las relaciones personales para ofrecer un servicio de calidad. Está confirmado que el balance entre el área de procedimiento de trabajo y el área de relaciones personales garantiza el éxito en el servicio que usted ofrezca. Evaluemos su área de relaciones personales.

1. *La apariencia:* ¿Cómo desea que sus clientes lo perciban? ¿Qué clase de ambiente o imagen debe reflejar el personal de servicio? ¿Cuán importante es para usted la apariencia de su personal?

2. *La actitud:* ¿Cómo impacta la actitud de su personal en el servicio a sus clientes? ¿Cómo sonríen? ¿Cómo es su postura corporal, sus movimientos, el vocabulario que usted usa?

3. *La atención que usted ofrece a sus clientes confirma su disponibilidad a satisfacer las necesidades y los deseos que ellos tienen.* ¿Cómo puede mejorar la atención de sus clientes para que éstos se sientan en una forma especial?

4. *Tacto:* ¿Cuáles son las palabras apropiadas para comunicarse con su cliente? ¿Cómo se envía el mensaje para que él se sienta cómodo?

5. *Dirección:* ¿Qué recursos deben estar disponibles para ayudar a sus clientes a satisfacer sus necesidades? ¿Qué nivel de conocimiento deben tener sus asociados para poder ofrecer un buen servicio?

6. *Habilidad en la venta:* La función del servicio es cultivar, facilitar y acumular ventas. ¿Cuáles son las características que confirman la habilidad de su personal para realizar una venta y ofrecer un buen servicio?

7. *Solución de problemas:* ¿Cómo deben administrarse las quejas de los clientes? ¿Qué podemos hacer para satisfacer a un cliente disgustado? ¿Cómo sabe usted que su cliente quedó satisfecho?

Agradezco a las empresas a las que les he ofrecido nuestro asesoramiento en el área de servicio al cliente porque me han ayudado a escribir este libro. Por lo general, su personal está comprometido a levantar el espíritu de sus clientes y así conseguir sobrepasar sus expectativas, y a la vez motivarlos a que se conviertan en un portavoz para que promuevan el servicio que el personal ofrece.

Me gustaría que hiciera una evaluación para medir el compromiso que usted tiene para ofrecer un buen servicio. Favor de contestar cada pregunta de acuerdo a su situación personal:

- 1. Pobre
- 2. Se puede mejorar
- 3. Regular
- 4. Bueno
- 5. Excelente

Mi compromiso para ofrecer un buen servicio es: ______
Mi dominio de las técnicas de comunicación es: ______
Puedo trabajar con clientes difíciles. ______
Me siento contento con mi trabajo. ______
Mi compromiso con la empresa es ______
Me puedo ajustar a los cambios con facilidad. ______
El servicio que ofrece nuestra compañía es: ______
La credibilidad de la compañía es: ______
Se me hace fácil motivar a mis clientes. ______
La comunicación en nuestro equipo de trabajo es: ______

¿Qué está haciendo su organización para fomentar el servicio? ______

______

¿Qué características describen su servicio? ______

______

¿Qué área de su servicio debe mejorar? ______

______

¿Qué cambios se deben realizar para fortalecer sus servicios? ______

______

Al contestar este cuestionario usted podrá identificar las áreas fuertes y las áreas débiles que tiene su persona y su empresa. Para ofrecer un buen servicio se requiere estar comprometido para hacerlo. La palabra "compromiso" significa que tenemos la responsabilidad de cumplir con unas tareas, que hemos hecho un pacto para defender la misión de la organización de servir bien, que seremos leales a la visión de ella y que estamos dispuestos a hacer lo que sea necesario para alcanzar las metas que nos hemos propuesto.

Cuando hay un gran compromiso y el equipo de trabajo está unido se alcanzan las metas, la calidad del servicio es excelente, hay una buena reputación y los clientes regresan.

Cuando vemos una organización en problemas, el equipo de trabajo por lo general se encuentra dividido, existen malas relaciones entre ellos, poco interés por el servicio que se ofrece, la productividad es baja y los clientes no regresan. Por consiguiente, esto significa que tenemos que comprometernos hoy a mejorar y a fortalecer el servicio que ofrecemos.

Tenemos que reconocer que existen razones válidas para fortalecer nuestros servicios:

1. La vida de nuestra organización va a depender de nuestros clientes.
2. La competencia se duplica todos los días.
3. Hoy, el cliente está más educado y es más exigente.
4. Los clientes satisfechos son nuestra mejor promoción.

Podemos clasificar el tipo de servicios que ofrecen las personas en cuatro tipos:

1. *El carismático:* Es la persona simpática, agradable, muy dispuesta a ofrecer un buen servicio. Sin embargo no está entrenado para llevarlo a cabo. Le transmite al cliente su interés por satisfacer sus necesidades pero no sabe cómo hacerlo.

Procedimiento del trabajo:	**Trato Personal:**
Desorganizado	Interesado
Incoherente	Amistoso
Lento	Delicado
Inefectivo	Complaciente

2. *El programado:* Representa un servicio eficiente en el procedimiento pero débil en el trato personal. Las personas

comunican la capacidad para ofrecer el servicio, pero no les interesa el área personal del cliente.

El cliente es un número y están dispuestos a ofrecerle un servicio impersonal.

Procedimiento de trabajo:	**Trato personal:**
Puntual	Insensible
Eficiente	Apático
Rápido	Desinteresado
Informado	Distante

3. *El indiferente:* Este tipo de servicio refleja un bajo interés en el servicio personal y en el procedimiento de trabajo. Le transmite al cliente poco interés y refleja su indiferencia cuando demuestra que no le importa la opinión que él tenga.

Procedimiento de trabajo:	**Trato personal:**
Lento	Insensible
Caótico	Distante
Desorganizado	Impersonal
Incoherente	Apático

4. *El comprometido:* Representa el servicio de calidad que satisface al cliente y sobrepasa sus expectativas. Comunica su interés y deseo de ayudar.

Procedimiento de trabajo:	**Trato personal:**
Eficiente	Comunicador
Puntual	Interesado
Calidad	Amistoso
Valorizador	Complaciente

Para ofrecer un servicio de calidad su actitud positiva es el pasaporte para lograrlo. La actitud es un estado mental que impacta sus sentimientos y comunica su disponibilidad para actuar y conseguir que el cliente satisfaga su necesidad y sobrepase sus expectativas. En los primeros minutos usted comunica su actitud de servir y da la primera impresión a su cliente, éste la recibe por su apariencia personal. El vocabulario corporal de las personas es 55% de su comunicación: Su mirada, su sonrisa, los colores que utiliza, la forma como mueve sus manos y sus gestos transmiten su actitud de servir.

Debemos recordar que también nuestro cabello habla, nuestro peinado, nuestras uñas, nuestra ropa bien planchada, todo esto transmite nuestra calidad de servicio. Otra herramienta poderosa es el tono de voz. No es lo que decimos sino el tono que usamos para decirlo. La tensión que usted tiene, su nerviosismo o su alegría es transmitido por su tono de voz. Muchos de sus clientes son afectados por el tono de voz que se utiliza.

Para ofrecer un buen servicio tenemos que reconocer las necesidades de nuestros clientes: ¿Qué quieren ellos? ¿Qué necesitan? ¿Cómo piensan? y ¿Cómo podemos satisfacer sus necesidades? En una encuesta realizada los diez puntos de más importancia para los clientes fueron:

1. Sentirse respetado
2. Sentirse importante
3. Recibir asistencia
4. Recibir un servicio puntual
5. Ser reconocido o recordado
6. Sentirse comprendido
7. Sentirse cómodo con el servicio que recibe
8. Sentirse bien recibido cuando vuelve

9. Recibir servicio en una forma efectiva
10. Que le cumplan lo que le prometieron

Uno de los puntos más importantes del servicio al cliente es la puntualidad. Para poder realizar un servicio con eficiencia debemos conocer cuándo el cliente necesita tener satisfecha su necesidad. Para ofrecer el servicio que el cliente necesita se requiere ser empático. Esto significa poder entender la necesidad del cliente a través de sus ojos, de su comunicación verbal y emocional.

Su cliente está solicitando ayuda, apoyo, respeto y atención, que lo miren a los ojos y lo hagan sentirse comprendido. Para poder ofrecer un servicio de calidad el cliente necesita ser escuchado. Para poder escuchar debe dejarlo hablar, enfocarse en su rostro y tratar de identificar la necesidad real del cliente verificando si ha entendido su necesidad. Esto significa que usted debe saber lo que el cliente quiere, necesita y siente.

Debemos convertirnos en un buen facilitador de servicio, para hacerlo debemos ser buenos comunicadores. Fortalecer la autoestima de nuestro cliente. Utilizar un vocabulario sencillo, identificar la necesidad del cliente y demostrar un interés genuino en ayudar. Usted, a través de un buen servicio, se convierte en el mejor vendedor de su organización. Para hacerlo debe crear conciencia en su cliente de la calidad de su producto o de su servicio, explicando las características de su producto y los beneficios que ofrece. Para brindar un buen servicio la persona tiene que saber motivar, entusiasmar y persuadir a su cliente.

Quiere decir que para servir bien tiene que ser un buen vendedor. Por lo tanto usted es una persona que escucha, observa, evalúa las necesidades del cliente y presenta alternativas para satisfacer las necesidades.

Una de las tareas del vendedor que desea dar un buen servicio es saber superar las objeciones que le impiden ofrecer su producto. ¿Qué es una objeción? Una objeción es la razón que le impide al cliente comprar el producto que se le esta ofreciendo. Existen varios tipos de objeciones, por ejemplo:

- El cliente no tiene dinero, o no puede asumir el costo del producto.
- El uso del producto no se ajusta a la realidad del cliente o no tiene el tiempo disponible para usar el producto.

Para manejar las objeciones lo primero que hay que hacer es reconocerlas, clasificarlas y hacer un comentario conciliador. Por ejemplo: "Entiendo su punto de vista, pero la gran mayoría de nuestros clientes nos han confirmado que este producto les ha resuelto su problema". Es importante identificar si hay otra objeción, puede ser que la información no está clara, el producto no es lo que el cliente desea, o el nivel de prioridad para el cliente sobre este producto no es elevado. O sea que ese producto lo puede comprar en otra ocasión.

Enfóquese en los puntos fuertes de su producto y cómo pueden ayudar éstos a satisfacer la necesidad del cliente. Siempre debemos hablar de los beneficios que va a recibir el cliente y de las pérdidas que puede evitar. Para poder ofrecer un buen servicio debe cambiar las creencias de su cliente y cerrar el negocio. La fórmula para cerrar exitosamente su propuesta es utilizar las técnicas de cierre que se ajusten a su negocio.

La primera pregunta que debemos hacernos es: ¿Qué es un cierre de venta? El cierre de venta es el proceso donde su cliente mentalmente se ha dicho: "Eso es lo que yo estaba buscando o eso yo lo necesito". Existen distintos tipos de cierre:

1. *Cierre de alternativa.* Este se produce cuando usted ofrece a su cliente varias opciones donde él selecciona una de ellas y mentalmente ha aprobado la venta. Por ejemplo: "¿Usted lo prefiere de ocho onzas o dieciséis onzas?" "¿Lo prefiere en azul o lo prefiere rosa?" "¿Prefiere que se lo entreguen en su oficina o se lo envíen a su casa?" Lo que significa que cualquiera de estas dos opciones son posibles.

2. *Cierre de oferta:* Se le ofrece al cliente una opción para que compre más. Por ejemplo: "Compre un par de zapatos y llévese el segundo a mitad de precio". Otro ejemplo: "Compre ahora y pague a fin de año". Le estamos ofreciendo al cliente opciones que le motivan a comprar.

3. *Cierre emocional:* Existe un testimonio o una experiencia que motiva al cliente a comprar. Por ejemplo: "Este producto ayudó a mi niño a mejorar sus notas". El beneficio que produce el producto es lo suficiente bueno para comprarlo y recomendarlo. Muchos clientes dicen: "El beneficio que ofrece este producto no tiene precio". Por ejemplo: "Unas buenas vacaciones".

4. *Cierre para evitar pérdidas:* Le ofrecemos una oferta al cliente donde se economiza una cantidad de dinero porque el descuento está disponible hasta hoy. Si decide posponer su compra y comprarlo la semana que viene tendrá que pagar el precio normal.

5. *El cierre de acción física:* Este cierre envuelve una acción donde el cliente participa y confirma su disponibilidad para comprar. Por ejemplo: "Señor Rivera por favor firme el acuerdo". Esto envuelve una acción física. Otro ejemplo: El vendedor le notifica al cliente que va a llamar al almacén para que le

reserven un equipo ya que el inventario se está agotando.

Para cerrar una venta usted debe irradiar la confianza y la convicción de que puede satisfacer las necesidades del prospecto. Debe mantenerse atento para leer las señales de compra, son los comentarios del cliente que confirman su interés en comprar y se puede dividir en dos tipos:

1. *Señal de compra verbal:* Este es un comentario donde el cliente comunica interés por el producto que se le ofrece. Por ejemplo: "¿Cuánto vale esto?" "¿Lo pueden entregar en mi oficina?" "¿Si lo pago en efectivo tengo algún descuento?"

2. *Señal de compra visual.* Este es un comentario que confirma que la persona visualiza el beneficio del producto que está evaluando. Por ejemplo: "Qué bien me queda este color". "¡Qué bien me veo!" Usted como vendedor debe estar atento a estos comentarios que confirman el interés del cliente por el producto que ofrece. La pregunta que se debe estar haciendo es: ¿Cuándo debo cerrar la venta? No hay un momento específico pero usted como vendedor puede leer y sentir que el cliente está listo para comprar. Cuando el cliente empieza a hacer preguntas y usted comienza a contestarlas, recibirá la confirmación de que él está listo para comprar.

Usted no puede motivar a una persona a comprar a menos que tenga conocimiento de lo que él quiere y necesita. Cuando usted habla está repitiendo lo que sabe. Cuando escucha a su cliente, conoce y aprende cómo piensa. Las preguntas le pueden ayudar a identificar las necesidades del cliente y a estimular la emoción de la compra. Existen distintos tipos de preguntas. Una de ellas son las preguntas de confirmación. Estas son preguntas que confirman el interés y la disponibilidad del cliente para resolver su situación. Por ejemplo: "¿Usted quiere verse más joven, verdad?" "¿Usted es responsable de resolver este problema de la compañía?" "¿Usted piensa compartir este producto con su familia?"

Los retos de ofrecer un servicio de calidad son grandes. Estamos viviendo una revolución en el servicio del cliente. La revolución en el siglo veintiuno es satisfacer las necesidades de sus clientes y conseguir su lealtad a través de la calidad de servicios que usted ofrece.

La época en que vivimos requiere que usted sea una persona creativa, flexible, y dinámica de acuerdo a la realidad y a las necesidades de sus clientes. El mundo de los negocios está lleno de personas con muy poco éxito y que logran resultados muy pobres porque no han hecho un compromiso para ofrecer un buen servicio de calidad a sus clientes.

Usted ha sido retado a identificar la fuente de motivación de sus clientes y a satisfacer sus necesidades. El primer paso es conocer su producto, identificar a qué mercado le va a servir, qué estrategias utilizará para colocarlo en el mercado de tal manera que se pueda convertir en un éxito en su área y conseguir la lealtad de sus clientes a través del servicio que les ofrece.

2

El arte de servir bien

Las personas que aspiren a ofrecer un servicio tienen que tener un espíritu de generosidad para servir. Una actitud de dar lo mejor sin esperar nada a cambio. Me crié en una familia que me enseñó estos valores. Siempre recuerdo a mi padre. Su trabajo como legislador confirma que era una persona desprendida, siempre estaba ayudando a sus semejantes. Ese espíritu de dar, de apoyar, tiene que sentirse y transmitirse, tiene que ser genuino porque cuando las personas reciben nuestro servicio perciben si nuestro apoyo es desinteresado o lo hacemos esperando algo a cambio.

Personalmente desde muy joven me di cuenta que me gustaba y disfrutaba ayudar y apoyar a las personas. Muchas veces me pregunté por qué lo hacía. Sinceramente hay una satisfacción muy grande cuando uno apoya y sirve a los demás. El primer paso para desarrollar el arte de servir es tener una actitud de servicio. Para esto usted tiene que saber identificar las necesidades del cliente. La herramienta más poderosa para identificar las necesidades del cliente es hacer preguntas. Por ejemplo:

- ¿Cómo le puedo ayudar?

- ¿Qué hay de bueno hoy?
- ¿Qué cambios debemos hacer para que este problema no vuelva a ocurrir?

Cuando le hacemos preguntas a la persona estamos estableciendo una comunicación. Se establece una relación.

Como segundo paso para ofrecer un buen servicio debemos desarrollar una química con el cliente. Debemos causar una buena impresión y tenemos solamente 30 segundos para causar esa buena impresión. Los clientes nos observan, nos miran y a través de la ropa que llevamos puesta, y los colores que utilizamos, desarrollan una percepción de quienes somos, con qué intención estamos acercándonos a ellos y si producimos confianza o desconfianza.

Una vez establecida esa química, se crea el entusiasmo en compartir. El entusiasmo comienza con el interés por compartir, por eso recomendamos usar un despertador mental para fortalecer la química y despertar el interés. Se preguntará usted: ¿Qué es un despertador mental? Es una frase que genera interés y despierta entusiasmo. Por ejemplo: —Raquel, antes de irte pasa por mi oficina que tengo que compartir algo interesante contigo.

El gerente general de la empresa en que trabaja Raquel le ha comunicado a las 9:00 de la mañana que tiene algo importante que compartir con ella. Ésta se siente sorprendida y la curiosidad no le permite esperar hasta las 5:00 de la tarde para reunirse con su supervisor. A la hora del almuerzo se acerca a la oficina de su supervisor y le dice:

—Perdone señor Soto pero no puedo esperar a las 5:00 de la tarde para reunirme con usted, ¿sería tan amable de decirme qué es lo que quiere consultarme?

El despertador mental es una poderosa herramienta para establecer interés y curiosidad. Podemos empezar una conversación de esta manera. Por ejemplo:

1. ¡Te enteraste de la última noticia!
2. ¿Qué hay de bueno hoy?
3. ¡Tengo que enseñarte lo último que me compré!
4. ¡Tengo la solución a tu problema!

Un despertador mental ofrece una promesa o estimula el interés en su cliente para establecer una comunicación. Aquí comienza el entusiasmo, una vez que se establece el interés se pasa al segundo paso; que es el deseo de su cliente de saber más, de tener más información, de ahí pasamos al tercer paso del entusiasmo que es el conocimiento. ¿Qué tiene usted para poder explicar la situación?

Una vez que tenemos el conocimiento nos movemos y producimos acción, la acción nos produce convicción. Establecemos una creencia en el cliente. Por ejemplo: "¡La sopa de hoy está riquísima!"

Cuando establecemos una creencia estamos sembrando en el cliente una semilla, desarrollando unas referencias y una experiencia que hacen que éste cambie su actitud y sus hábitos. Si tomamos como ejemplo un producto en particular, su cliente puede pensar que ese producto no es bueno, pero por la experiencia de su compañero de trabajo y la experiencia de él, cambia su forma de pensar y es posible que pruebe el producto que usted le está recomendando.

Es importante reconocer que usted todos los días está impactando a sus clientes. Hay clientes que creen en usted, su credibilidad les produce confianza, les transmite paz y certeza de que su recomendación o su opinión es correcta. Por eso es importante el testimonio personal, porque ellos confían en usted y si usted está enfocado en su trabajo va a afectar a muchos clientes y a su empresa.

Recuerdo siempre la historia de un padre enojado: Fue a una farmacia a comprar una medicina para su niño y le vendieron la medicina incorrecta. Este cliente lo compartió a 20 amigos y familiares, estas personas se lo mencionaron a 3 personas cada una y estas 60 personas se lo mencionaron a 2 personas adicionales. O sea que 120 personas se entera-ron del error que cometió el dependiente de la farmacia. Esta es una publicidad negativa que cuesta dinero y tiempo para cambiar la opinión de estas personas.

Usted tiene que cuidar su credibilidad para conseguir que sus clientes le sigan voluntariamente y estar consciente que cada vez que surja una dificultad que ponga en duda su persona o su servicio debe contrarrestar esto de inmediato. Para poder servir con efectividad tiene que fortalecer la autoestima de su cliente.

Para fortalecer la autoestima de su cliente usted debe tener una buena autoestima. Hemos definido la autoestima como la radiografía de la persona, cómo se ve usted, cómo se siente. Una alta autoestima produce una alta productividad, confianza y buenas relaciones. Una baja autoestima produce depresión, inseguridad y baja productividad.

La pregunta sería: ¿Cómo fortalecer la autoestima de su cliente? Para explicarlo en una forma sencilla estableceremos seis pasos para lograrlo:

1. Llame a sus clientes por sus nombres, mírelos a los ojos, salúdelos con energía, sonría y hable con tranquilidad y transmita paz.

2. Identifique los puntos positivos del cliente, puede ser el color de su ropa, su sonrisa, algo que esté haciendo bien, halague a la persona. Algunas de mis frases preferidas son: "¡El servicio estuvo poderoso!" "¡Estás haciendo tremendo trabajo!" "¡Te felicito por tu servicio de calidad!" Siempre dígalo de corazón.

3. Identifique cómo se siente la persona. A las personas les gusta hablar sobre ellos. Puede preguntarles: "¿Qué te hace feliz hoy?", "¿Qué de bueno va a

suceder hoy? Cuando el cliente tiene la oportunidad de hablar sobre él, fortalece su autoestima y desarrolla confianza.

4. Lea el vocabulario corporal de su cliente. En la comunicación de su cliente 55% es su vocabulario corporal. A través de los cachetes, su mirada, la sonrisa, su piel, podemos determinar si el cliente está motivado, entusiasmado y si existe una química para compartir con él. Usted debe ser un experto leyendo el vocabulario corporal de sus clientes y debe saber neutralizar los aspectos negativos que le presenten ellos.

5. Utilice un tono de voz agradable. El 38% de la comunicación de su cliente es a través de su tono de voz. Usted escucha y sabe en fracciones de segundos si él está motivado o está deprimido. Debemos neutralizar el tono de voz negativo con una pregunta positiva, un comentario conciliador o una sonrisa.

6. Identifique la necesidad de su cliente. Escuche su tono de voz, la respiración, las palabras que utiliza y pregúntele en qué forma puede ayudarle. Siempre ofrezca aliento, esperanza y apoyo.

Los clientes aprecian que los escuchemos, los orientemos y que tengamos empatía por sus necesidades. Se debe utilizar un vocabulario transformador para cambiar los estados emocionales de sus clientes. Todos los meses visito diferentes ciudades. A pesar de que son países distintos, el vocabulario es muy parecido.

La gente me dice: —Las cosas están malas —y yo les respondo—: Nunca antes habían estado mejor.

Otros me dicen: —Me siento deprimido —y yo le pregunto—: ¿Cómo lo haces?, porque para deprimirse se requiere una gran energía, será que me quieres decir que te sientes desenfocado.

Otros me dicen: —Me siento cansado o agotado —y le menciono que cuando me pasa eso me digo—: Me estoy recargando, estoy recargando las baterías.

Otros me comentan: —Estoy tenso, no puedo dormir —le menciono que tiene más energía de la que necesita y debe aprender a relajarse. Llene una bañera con agua tibia y tome un baño de una hora, tranquilo. Le recomiendo que empiece a verse relajado, a caminar más despacio, a hablar con tranquilidad, a conducir el automóvil más despacio, a bajar el nivel de energía.

Muchos me cuentan de sus enfermedades, les menciono que yo también me he enfermado, y que éste es un proceso de limpieza. El cuerpo me está hablando que hay algo que no está funcionando bien y que hay que repararlo.

Hace unos años estuve en Punta Cana, Santo Domingo ofreciendo un seminario de servicio al cliente para los 500 empleados de un hotel del área. Fue una experiencia extraordinaria. Los empleados quedaron satisfechos y se comprometieron a trabajar para ser mejores empleados y ofrecer un mejor servicio a los turistas. El lugar es un paraíso natural, le recomiendo que lo visite.

El único problema fue que comí un pescado que me enfermó. Se me hincharon las manos, las plantas de los pies, y las extremidades; fue una experiencia nunca antes vivida. Tuve que llamar al doctor y ponerme a dieta durante diez días.

Siempre he dicho que lo importante no es lo que nos sucede si no cómo interpretamos y reaccionamos a la situación que nos está afectando. Gracias a Dios me recuperé rápidamente pero cuando me preguntaban cómo me sentía les respondía: —Me estoy limpiando. Me estoy recargando.

Tenemos que saber identificar a los clientes que necesitan atención. Hay personas que se irritan sin saber por qué, están programadas para pelear. Siempre están echándole la culpa a otros. Se quejan con frecuencia, les molesta la gente. Su rendimiento es bajo, no saben establecer prioridades. Es decir que trabajar con la gente no es fácil. Si las personas que tiene a su lado son negativas y las tiene que soportar 40 horas a la semana, es mucho más difícil todavía.

Mi política para trabajar con clientes difíciles es la siguiente:

1. Me reúno con ellos, escucho su situación, no reacciono a la misma, mantengo la calma e identifico cuál es su problema.

2. Hago un comentario conciliador. Le comunico que entiendo su situación, que sé como se siente. Le pregunto: "¿Qué se puede aprender de este problema?" "¿Qué cambios se deben dar para que esta situación no vuelva a ocurrir?" "¿Cómo se sentirá dentro de 5 años referente a esta situación?" Esta dinámica lleva al cliente a reflexionar y a enfocarse en la solución.

3. Lo hago consciente de su responsabilidad por los resultados que está consiguiendo. La calidad de vida de la persona tiene una relación directa con la calidad de decisiones que ha tomado durante los últimos años. Las decisiones que tomó en los pasados cinco años son el resultado de hoy y las decisiones que tome hoy serán el resultado de su futuro. Las personas tienen que aprender a asumir responsabilidad con la adversidad que están viviendo y deben aprender a enfocarse en la solución para salir de ese estancamiento.

4. Lo exhorto a que identifique qué personas lo pueden ayudar, qué personas han resuelto este mismo problema anteriormente. ¿Cuál debe ser su prioridad? ¿Qué sucederá si no resuelve este problema? ¿Qué es

lo más malo que le puede suceder? ¿Qué problemas grandes ha resuelto anteriormente? Lo invito a que reflexione, hay problemas que uno no puede resolver y hay otros que uno puede resolver pero nos toman tiempo.

Al lado de mi escritorio tengo un mensaje que dice:

Dios, concédeme serenidad para aceptar las cosas que no puedo cambiar; valor para cambiar aquellas que puedo y sabiduría para reconocer la diferencia entre estas dos cosas.

Por más que usted estudie y se prepare, siempre existirán cosas que no va a poder resolver. Va a enfrentar situaciones que puede resolver pero necesita tiempo, preparación, trabajo, dedicación y perseverancia. Muchas personas quieren las cosas premasticadas y predigeridas. Lo quieren todo rápido, sin pagar un precio. El precio del éxito se paga por adelantado y al contado y se paga trabajando, no se puede recibir a crédito, no se puede cargar a una tarjeta. Requiere trabajo, sacrificio, dedicación y compromiso.

Una de las cosas más difíciles en mi profesión es trabajar con personas frustradas que no han logrado los objetivos que se han propuesto. Mi mensaje para estas personas es que desarrollen la paciencia, evalúen los obstáculos e identifiquen alternativas de cómo se pueden superar. Por nada debemos perder la fe. No podemos permitir que nuestra voluntad sea socavada por fuerzas adversas, por comentarios negativos, por gente falsa. La desesperación es un huracán que nos lleva a perder el control de nuestra imaginación, la creatividad y el entusiasmo.

No sé si usted ha tenido la experiencia de ver un huracán. En el año 1989 pude vivir una experiencia en Puerto Rico con el huracán Hugo. Todo se puso oscuro, yo vivía a pocos metros del mar y no se podía ver nada. Lo mismo sucede cuando uno se desespera, se nubla la visión, perdemos la capacidad de buscar alternativas que permitan conseguir soluciones.

Cuando usted se desespera, se desilusiona, se enoja y se disgusta, está delegando el control de sus estados emocio-na-les a esa persona o a la situación que le está afectando, y usted pasa a ser víctima de ella. Por eso es muy importante tener una actitud correcta. La actitud es el reflejo de sus pensamientos. Sus pensamientos producen su autoestima y ésta fortalece la forma como usted se ve y se siente. Esto tendrá una relación directa con su éxito o con su fracaso.

Usted tiene todos los requisitos para ofrecer un buen servicio y tener éxito. Su mayor riqueza es el potencial que Dios le ha dado para pensar, crear, imaginar posibilidades y alternativas para superar los obstáculos que se interponen en la consecución de sus metas. Recuerde siempre que nadie va a hacer lo que le corresponde a usted.

Que usted es el arquitecto, el diseñador, el director de su vida. Nadie más que usted será el único responsable por los resultados que consiga en su trabajo. La pregunta sería: ¿Cómo puedo desarrollar el arte de servir bien? ¿Cómo puedo convertirme en un agente de servicio? Establezca en qué tipo de servidor se quiere convertir, ¿qué tipo de servidor le gustaría ser? Puede ser que le interese ser un educador, entrenador, político, servidor público, líder religioso. Pero es vital identificar qué tipo de servicio usted quiere dar, dónde están sus talentos, sus habilidades, dónde está su vocación.

Hace muchos años, aproximadamente unos 25, era un adolescente e hice esta dinámica. Me visualicé como un facilitador, como un exhortador, como un conferenciante motivacional. Una persona que se dedicaría a enriquecer la vida de la gente. Ser un excelente servidor.

Desde ese momento comencé a trabajar, a prepararme, a estudiar, a conocer personas que tenían afinidad a mi vocación. Líderes religiosos, pastores, maestros, educadores, políticos, servidores públicos. Fui estudiando la conducta de las personas. El sentir de la gente, los problemas y las soluciones de sus problemas.

Me di cuenta que nos habían educado para aprender a leer, a escribir, a conducir un automóvil, a practicar un deporte, a trabajar con una computadora, pero no nos enseñaron a vivir. No nos enseñaron a elegir a nuestra compañera o compañero, no nos han enseñado a servir. No nos han enseñado a criar a nuestros hijos. No nos enseñaron a administrar nuestros estados emocionales, a visualizar, a identificar en qué persona nos queremos convertir.

Ahí nace mi vocación y mi interés de servir, de convertirme en un modelo, en un instrumento de apoyo. Mientras estoy escribiendo este libro, llegan a mi memoria las miles de personas a las cuales les hemos servido. Más de 500 mil a través de nuestros seminarios y conferencias. La responsabilidad de apoyar y servir a otros, de demostrar respeto y compromiso por sus necesidades, de tener conciencia de la importancia de escuchar con atención. De identificar las expectativas que las personas tienen de nuestro trabajo y de hacer un compromiso absoluto de satisfacer algunas necesidades que muchas veces no las hemos identificado, u otras veces están dormidas.

Cuando las personas terminan de participar en un seminario nuestro, siento cómo ese gigante que hay dentro de la persona sale a relucir quizás con la expresión de sus ojos llorosos, su tono de voz entrecortado, y veo en su semblante un deseo genuino de comenzar de nuevo, sin importar las adversidades, las dificultades, los obstáculos, las deficiencias.

Es un encuentro difícil de explicar pero poderosamente estimulante, donde vemos personas con una nueva visión, con nuevas esperanzas y con un nuevo compromiso de trabajar por un bienestar común, tanto para ellos como para su familia y su país. Le doy gracias a Dios por haberme permitido prepararme, por los dones que me ha dado, por la perseverancia, por mi esposa Candy, por mis hijos, José y Pablo, que me apoyan en esta jornada.

Por todos nuestros asociados que respaldan nuestra visión en más de veinticinco países. Porque estamos comprometidos en servir, en apoyar, en enfocarnos en las soluciones y no en los problemas. Estamos comprometidos a convertirnos en líderes de duplicación, en ayudar a otros a que aprendan a tomar la antorcha para alumbrar el camino, pavimentándolo para que las futuras generaciones tengan buenos modelos a quien imitar y puedan tener una mejor calidad de vida para que podamos desarrollar un mejor país.

Desarrollar el arte de servir es un compromiso que debe tener toda persona que aspire a ser líder. Cuando mejor le servimos a nuestros clientes, tenemos una mejor calidad de vida. Cuando le servimos mejor a la gente tenemos mejores ciudadanos y estamos en armonía.

Si queremos producir un país, una comunidad y una familia mejor, tenemos que desarrollar el compromiso de ser servidores de excelencia. Espero que este capítulo le haya permitido crear conciencia de que usted debe tener una visión claramente definida, una misión establecida, un plan de acción a seguir y un compromiso absoluto para servir bien.

Hagamos una dinámica para despedirnos, pensemos que hoy es el día X del año 2010 y que usted está siendo reconocido por su país o su comunidad por el trabajo y el servicio que ha ofrecido. ¿Cuáles serían las palabras que le gustaría escuchar del presentador de la actividad?

Cuando estén leyendo la placa de reconocimiento que describe su hazaña y su aportación a su comunidad, ¿cuál sería el mensaje que le gustaría escuchar? ¿Cómo se siente? ¿Se siente orgulloso? ¿Se siente satisfecho? ¿Dio lo mejor de usted? ¿Realmente usted merece ese reconocimiento? Posiblemente se puede ver con uno de sus nietos sentado en su regazo y que le está mirando porque sabe que están hablan-do de su abuelo.

Sería sumamente interesante poder sentir la gratitud, el aprecio, la aceptación, el cariño, el respeto de una comunidad que aprecia el trabajo suyo. Sus sacrificios y su compromiso de servir. Tenemos que hacer un compromiso de apoyar a nuestros jóvenes para que éstos nos apoyen en los momentos donde nuestra energía no pueda continuar cargando la antorcha que alumbrará el camino para que nuestros niños tengan una mejor calidad de vida.

No desarrollar el arte de servir es no desarrollar nuestro liderato. Es darle la espalda a nuestras futuras generaciones y exponernos a que no tengan ninguna motivación para recordarnos, es traicionar el legado que nos ha dado Dios de servir a nuestros semejantes, de cumplir la encomienda de dar lo mejor de lo nuestro.

Cuando llegue el momento de retirarnos de este mundo la conciencia nos confirmará que hemos hecho todo lo que pudimos, que dimos lo mejor de lo nuestro y nos retiramos a descansar en la confianza que hemos cumplido la misión sirviendo bien.

3

Trate de satisfacer a sus clientes

La satisfacción de sus clientes es el factor más importante para garantizar la lealtad y conseguir que ellos sean los mejores promotores de su negocio. No sólo debemos satisfacer al cliente sino que debemos medir la efectividad del trabajo que se está haciendo, esto nos garan-tizará que nuestro negocio es competitivo y rentable. Es importante medir cuán satisfecho está el cliente para determinar el nivel de la calidad del servicio que usted está ofreciendo y si éste está bien ante los ojos de sus clientes.

Pero, ¿qué significa satisfacer al cliente? Se puede definir como la percepción que tiene él de que sus necesidades y deseos son suplidos y sus expectativas han sido ampliamente superadas, estos clientes bien servidos comprarán más, con más frecuencia y lo recomendarán a sus amigos y familiares. Existe una relación directa entre las ventas, el servicio, la satisfacción del cliente y las utilidades de su negocio. Mientras más clientes complacidos usted tenga, más ganancia tendrá.

El factor más importante para producir satisfacción en sus clientes es el servicio de calidad que usted les ofrece. Su meta principal en su negocio debe ser producir clientes leales y contentos que permanezcan utilizando sus servicios a través del tiempo. Es importante que usted solicite a sus clientes que evalúen la calidad del servicio que les brinda, esto le ayudará a mejorar lo que no es perfecto en su negocio. Pregúntele a su cliente: ¿Qué necesita? ¿Qué quiere? ¿Qué espera de usted? y provéaselo.

Para poder lograr el éxito necesitará desarrollar un sistema de servicio al cliente y éste comienza con un compromiso de todos los que componen su equipo de trabajo. Desde la alta gerencia hasta el empleado de menor categoría.

Debe definirse cuál es la misión de la empresa y cuál es su compromiso con la calidad en el servicio que usted está dispuesto a ofrecer. Un punto importante es conocer íntimamente a sus clientes, esto significa saber lo que les gusta, los cambios que desean hacer, sus futuras necesidades, deseos y expectativas.

Una vez que tenga esta información debe desarrollar un plan para satisfacer sus necesidades y la lealtad hacia usted. Para lograr esto usted debe estar en comunicación continua con su cliente, mantenerse en contacto llamándolo por teléfono, escribirle e invitarle a compartir con usted algún momento para conocer sus necesidades.

El servicio de calidad al cliente muchas veces es intangible, porque depende de la percepción del cliente. Hay clientes más exigentes que otros, unos son más flexibles y demandan menos. Detalles tan sencillos como:

- El tiempo que tiene que esperar su cliente para que le contesten el teléfono.

- Cuántas personas tienen que participar para que le resuelvan su situación.

- La política de devolución de productos, las reglas para hacer cambios y reclamaciones sin dificultad, pueden hacer una gran diferencia.

Para desarrollar un sistema de servicio eficaz al cliente se necesita un buen equipo de trabajo. Para lograr esto debe contratar, capacitar y compensar bien a su personal. Una vez que su personal esté preparado concédale autoridad necesaria para que pueda tomar decisiones y resolver los problemas de sus clientes, su personal será su portavoz y su cliente agradecerá que le hayan resuelto su problema de inmediato.

Después que usted empiece a ver que su personal está ofreciendo un buen servicio, reconózcalo, ofrezca reconocimientos públicos, seleccione el empleado del mes y brinde incentivos económicos.

También es importante reconocer a sus clientes, se sentirán sorprendidos cuando usted agradezca su lealtad y su interés por recomendarle a sus amigos y familiares. A las personas les gusta sentirse reconocidos y apreciados. Haga todo lo que sea posible para que su cliente lo tenga en su mente y mantenga un alto concepto del servicio que usted ofrece.

La calidad de servicio se consigue a través de un compromiso de todas las personas que participan en el proceso de ofrecer ese servicio. Debemos identificar las áreas importantes en el procedimiento de trabajo para lograr un servicio de calidad. Podemos hacernos algunas preguntas para revisar la calidad de nuestros servicios.

1. ¿Qué hace su compañía para brindar un servicio de calidad?
2. ¿Cómo mide su compañía la satisfacción de sus clientes?
3. ¿Cuál es el costo de ofrecer un servicio de baja calidad?

El costo para su empresa por un servicio de baja calidad se puede medir por el número de clientes que usted pierde anualmente. Pero se podría medir por tres formas adicionales:

a). *Costo de desempeño.: La persona tiene que volver a hacer el trabajo porque la primera vez que intentó hacerlo, no lo hizo correctamente. Debemos establecer la política de hacerlo bien la primera vez.*

b). *Costo de detección del problema:* Detectar el problema de calidad requiere de tiempo y hay que utilizar personas para que identifiquen qué es lo que está causando que se ofrezca un servicio de baja calidad.

c). *Costo de prevención:* Este es el costo de identificar las fallas antes que sean detectadas por su cliente. En la manufactura se utilizan estrategias para evaluar el desempeño del personal a fin de descubrir los posibles problemas de baja calidad antes de que salga el producto a la calle. Se evalúa para prevenir que el producto salga defectuoso.

Durante mis estudios universitarios me asignaron un caso de una fábrica japonesa que producía una calculadora de bolsillo con un porcentaje de devolución de .001%. Sin embargo, la misma calculadora fabricada en Estados Unidos, tenía una devolución por defectos de más de 25%. Cuando los supervisores encontraron un nivel tan alto de devolución empezaron a estudiar la situación para detectar el problema. La pregunta era: ¿Por qué la calculadora en Estados Unidos tenía tan mala calidad?

En una reunión de control de calidad, el grupo de trabajo en la fábrica de Estados Unidos llegó a la conclusión de que si Japón hacía la misma calculadora y la devolución por defecto era tan baja, la fábrica americana estaba realizando su labor en una forma incorrecta. Durante la conversación con los japoneses encontraron que la producción de la calculadora tenía éxito porque los japoneses habían identificado una pieza que no se podía tocar con las manos ya que se dañaba. Ellos decidieron usar guantes para montar la calculadora y no afectar la calidad de ella. Quiere decir que mientras los japoneses tenían grandes ganancias por su calidad de producto, los americanos casi quiebran la fábrica porque 25% de su producción era defectuosa.

El costo de prevención fue muy económico. Los japoneses resolvieron que con un sencillo guante evitarían que su producto saliera defectuoso a la calle.

Podemos concluir que ofrecer un servicio de calidad produce beneficios.

1. Su credibilidad se fortalece, sus clientes están complacidos con el producto o servicio que usted ofrece. Dan testimonios de la calidad de sus productos, recomendándolos a familiares, amigos y están dispuestos a pagar más por esa calidad.
2. Aumenta la participación en el mercado. Al brindar un mejor producto o servicio, su calidad se fortalece ante el consumidor, vende más y hay mayor ganancia.
3. Reducción de costo. Al hacer su trabajo bien desde el principio reduce sus costos de desempeño, de detección de problemas y prevención.
4. Aumenta la repetición de ventas porque sus clientes volverán a comprarle; ya que tienen confianza de que usted ofrece un buen servicio y que satisface su necesidad. Recuerde que conseguir un nuevo cliente le cuesta cuatro veces más que venderle al que ya tiene.
5. Reducción de costo de publicidad. Al aumentar el número de clientes, sus ventas aumentarán y el costo de publicidad dividido por el número de clientes se reduce.

6. Aumentan sus utilidades. Las empresas que ofrecen un buen servicio reducen sus costos, reducen sus errores y aumentan sus utilidades.

Sería conveniente realizar una evaluación del servicio que ofrece su empresa. Conteste las siguientes oraciones escogiendo una de las palabras que aparecen a continuación que describen su realidad.

- 5-Excelente
- 4-Bueno
- 3-Regular
- 2-Puede mejorar
- 1-Pobre

El servicio que usted ofrece es:	
Sus clientes consideran sus servicios como:	
Sus clientes le recomiendan con sus amigos:	
La credibilidad de su negocio en el mercado es:	
El departamento de servicio en su organización es:	
La satisfacción de sus clientes es:	
Sus clientes regresan con frecuencia:	
El desempeño del trabajo que realiza su personal es:	
La rapidez con que se detectan los problemas es:	
El compromiso del equipo de trabajo es:	

Para mejorar la calidad del servicio que usted ofrece debe desarrollar un sistema de servicio al cliente. Para lograr esto debemos desarrollar un plan de trabajo que nos permita servir de guía de manera que sea duplicable y permanente.

Sistema de servicios al cliente

Tenga en cuenta los siguientes 8 pasos:

1. *Compromiso absoluto de su equipo de trabajo.* Para lograr esto debe desarrollarse una visión del servicio que ofrecerá su empresa, estableciendo un propósito claro de que su negocio crecerá y se mantendrá en competencia mientras consiga que sus clientes sigan utilizando sus servicios. Esto se puede realizar si le comunicamos al personal la importancia que tiene disciplinarnos para ofrecer un buen servicio desde el primer intento. Fortaleciendo la creencia del cliente de que estamos dispuestos a hacer todo lo que sea necesario para lograr satisfacer su necesidad. También debemos transmitir a nuestros asociados la confianza de que pueden contar con todos los recursos necesarios para brindar un servicio de calidad.

2. *Conozca las necesidades de sus clientes.* Debemos conocer los deseos, las expectativas y los gustos de los clientes, ya que esto nos proveerá los recursos para poder lograr la lealtad de ellos. Debe también conocer los futuros cambios que desea hacer el cliente, es saludable conocer quién era su proveedor anteriormente y cuál fue el motivo para cambiar.

3. *¿Cómo puede usted conocer a su cliente?* Hay que establecer una relación personal con el cliente a través de contactos personales, encuestas, invitaciones a visitar su empresa, enviándole muestras de sus nuevos productos, etcétera. Su responsabilidad es identificar las necesidades del cliente, los deseos y sus expectativas para conseguir satisfacerlas tan pronto como él lo solicite. Desarrolle un plan para que pueda conocer bien a su cliente, estableciendo una relación profunda y duradera.

4. *Desarrolle un sistema de niveles de calidad de servicios.* El servicio de calidad es intangible. Quiere decir que hay veces que no se puede tocar pero se puede sentir. Está

basado en la percepción del cliente. Hay clientes que le darán mayor atención a la calidad del producto que usted ofrece, otros le darán mayor atención a las relaciones personales y otros al costo del producto. Los niveles de calidad de servicio también tienen aspectos tangibles y visibles que se pueden medir. Por ejemplo:

a). Al cliente no le gusta tener que esperar mucho tiempo para que le contesten el teléfono. Cuando usted contesta el teléfono rápidamente el nivel de calidad de su servicio es evaluado por su cliente.

b). Al cliente no le gusta que tarden en resolverle su problema. Cuando el cliente tiene que visitar varias veces su negocio para resolver su problema, se irrita y le molesta. Esto hace que el cliente considere a otro proveedor en el futuro por que no se le atendió con la eficiencia y rapidez que él esperaba.

c). Al cliente no le gusta que le envíen a diferentes personas para resolver su problema. Ya sea por teléfono o en persona al cliente le molesta tener que contarle la misma historia a muchos y que nadie le pueda resolver su problema. Esto hace que el cliente se irrite e identifique otra opción para satisfacer su necesidad.

d). Al cliente no le gusta que su compañía no tenga definida una política de devolución o de cambio de productos. Después de la Navidad usted visita los centros comerciales y encuentra el departamento de servicio al cliente a la entrada de la tienda para atender todas las devoluciones y los cambios que el cliente quiere hacer.

Estos ejemplos los he presentado para que usted tenga una idea de que estas pequeñas situaciones le están costando millones de dólares a las empresas por no poner a su cliente primero. Si usted se ha identificado con alguna de ellas le recomiendo que tome acción ahora, sus clientes se lo agradecerán.

5. *Desarrolle un equipo de trabajo ganador.* Para poder ofrecer un buen servicio tenemos que reclutar, capacitar y compensar bien a nuestros asociados. Para ofrecer un buen servicio se necesitan personas bien calificadas. La calidad del servicio que se ofrezca será tan buena como la persona que lo brinda. Quiere decir que la persona que está frente a su cliente es su embajador, su portavoz, sus oídos, sus ojos y su voz.

Personas mal seleccionadas pueden causar daños irreparables. Le recomiendo que contrate asociados capaces de ofrecer un buen servicio e invierta en ellos. Capacítelos, el adiestramiento que usted ofrezca debe ser de calidad y continuo.

6. *Reúnase con frecuencia con su equipo y reconozca que sus primeros clientes son sus asociados.* Tener asociados contentos y satisfechos garantiza que ofrecerán un servicio de alta calidad. Debe darle autoridad a sus asociados para tomar riesgos y decisiones. Si el asociado tiene que estar consultando todo el tiempo con su supervisor todavía le hace falta preparación, confianza y liderazgo para ofrecer un buen servicio.

7. *Desarrolle un sistema de recompensa.* Es importante establecer un programa que reconozca y recompense a sus asociados por sus logros en la calidad de servicios. La inversión que usted haga en este sistema le producirá grandes dividendos. Desarrolle un sistema para ofrecer incentivos a base de resultados. Reconozca a sus asociados y motívelos para hacer su trabajo mejor todos los días. Los asociados deben reconocer su responsabilidad en ofrecer

un buen servicio y deben estar conscientes que el éxito o el fracaso de su organización está ligado a la calidad de servicios que ellos ofrezcan.

8. *Trabaje continuamente para mejorar sus servicios.* El reto de ofrecer un buen servicio es continuo, no se detenga, continúe observando, analizando lo que está haciendo y buscando formas para mejorar la calidad de sus servicios. Evite caer en las zonas de comodidad, pensando que como tiene un buen servicio no debe continuar buscando formas de como mejorarlo. Pida ayuda a sus clientes, reconozca su lealtad y solicíteles recomendaciones y opiniones sobre que áreas debe mejorar para fortalecer sus servicios. Recuerde siempre que su objetivo es satisfacer al cliente logrando que sus expectativas sean alcanzadas. Para lograr esto hay que agregar valor al servicio que usted ofrece. Provéales a sus clientes más de lo que esperan. Esto va a provocar un sentimiento de sorpresa y alegría, donde sentirá su disponibilidad para sobrepasar las expectativas del cliente.

Debe proveer a sus asociados los recursos para que puedan identificar los problemas de calidad de servicio. Es importante que tengan sus ojos bien abiertos para identificar cómo, cuándo, dónde, y por qué pueden ocurrir problemas de calidad de servicio. Desarrolle la conciencia en sus asociados de que son responsables de inspeccionar el producto y por la calidad de servicio que está recibiendo el cliente. Saque tiempo para evaluar el trabajo de sus asociados y sorpréndalos reconociéndolos cuando lo hagan bien hecho. Manténgase en contacto con sus clientes, cuando usted se comunica ellos se sienten atendidos y apreciados. Recuerde que lo puede hacer a través de una carta de agradecimiento por ser un cliente fiel, una tarjeta de Navidad o cumpleaños, etcétera. El cliente a través de sus compras o recomendándole nuevos clientes le está comunicando la satisfacción que siente de ser su cliente. Ellos se sienten felices al recibir recompensas y reconocimientos de parte suya.

Muchos de sus clientes están disponibles para compartir sus experiencias, percepciones que le ayudarán a usted a mejorar la calidad de sus servicios.

Para lograr suplir las necesidades de los clientes debemos desarrollar un sistema para medir la calidad de servicio por la satisfacción que ellos sienten por nuestro servicio o producto. Para tener éxito en este proceso el programa de medición debe incluir lo siguiente:

1. ¿Quién será responsable de desarrollar el sistema de medir la calidad de servicio? Muchas veces todos los asociados tienen la responsabilidad de desarrollar el sistema de la calidad de servicio.

2. ¿Qué va a medir el sistema de calidad? Puede medir la percepción que el cliente tiene del servicio que usted ofrece.

3. ¿Cuándo va a realizar esa medición? El mejor momento es cuando el cliente ha terminado de recibir el servicio, pues tiene fresco en su memoria el nivel de calidad que ha recibido.

4. ¿Dónde se va a medir el servicio? Se debe de realizar el trabajo en el lugar que el cliente recibe el servicio.

5. ¿Cómo se debe medir el servicio que recibe? Se puede medir a través de un cuestionario o encuesta en una forma simple y fácil de complementar.

6. ¿Por qué se debe medir el servicio? Está confirmado que el conocer la percepción del cliente sobre sus servicios ayuda a mejorar la calidad de los mismos. Para conocer la percepción del cliente, deben contestarse las siguientes preguntas:

a). ¿Por qué el cliente patrocina su negocio?

b). ¿Cuáles son las expectativas de su cliente?

c). ¿Cuál es el nivel de calidad que espera su cliente?

d). ¿Qué hay que hacer para satisfacer las necesidades del cliente?

e). ¿Qué se debe hacer para que el cliente continúe utilizando sus servicios?

Para desarrollar un sistema de satisfacción al cliente, deben hacerse las siguientes preguntas:

a). ¿Qué necesita o desea su cliente?

b). ¿Por qué su cliente utiliza sus servicios o productos?

c). ¿Qué razones le hizo cambiar de proveedor a su cliente?

d). ¿Cómo se pueden sobrepasar las expectativas de su cliente?

e). ¿Cuáles pueden ser las razones que puedan motivar a su cliente a hacer cambios en el futuro?

Para armonizar las expectativas y las percepciones entre el cliente y usted, especialmente cuando no se le esté ofreciendo un buen servicio, deben contestarse las siguientes preguntas:

a). ¿Qué piensa usted que el cliente necesita y qué es lo que realmente quiere?

b). ¿Qué piensa usted sobre lo que compró su cliente y que percepción tiene él de lo que compró?

c). ¿Qué piensa usted sobre el servicio que está ofreciendo y como el cliente lo percibe?

Si la cuestión es: ¿Cómo conocer las expectativas que tiene el cliente? Hágase las siguientes preguntas:

a). ¿Le ha preguntado a sus clientes lo que necesitan, quieren y esperan de usted? Sí__ No__.

b). ¿Está usted comprometido a dar el mejor servicio identificando las necesidades de su cliente? Sí__ No__.

c). ¿Sabe usted cómo su cliente toma las decisiones para hacer sus compras? Sí__ No__.

d). ¿Conoce usted cuál es el nivel de calidad que su cliente espera? Sí__ No__.

e). ¿Tiene usted un sistema para medir la calidad de servicio que usted ofrece? Sí__ No__.

Comience hoy a desarrollar un sistema de trabajo para satisfacer a sus clientes. Esta inversión de tiempo, esfuerzo, dinero y trabajo, le producirá excelentes dividendos a su negocio. La empresa que lo ha hecho ha perdurado por años, porque el respaldo recibido de sus clientes le ha garantizado su permanencia y su éxito.

4

Cómo resolver problemas

Una de las características de las personas que ofrecen un buen servicio es que tienen la habilidad de resolver problemas. Los problemas que nos traen nuestros clientes son las oportunidades de demostrar nuestra capacidad de satisfacer sus necesidades y conseguir que vuelva porque sabe que podemos resolverle su situación. Como primer paso para resolver problemas debemos conocer las características de un problema.

1. *Desconocimiento de la situación.* Muchas veces las personas no resuelven su problema porque desconocen que lo tienen, no tienen la información o no quieren reconocerlo. Es muy difícil poder ayudar a una persona si ésta piensa que no tiene ningún problema. Cuando tenemos un problema en nuestra organización y no lo reconocemos se nos hará muy difícil resolverlo. Muchas compañías se han ido a la bancarrota porque no ofrecieron un buen servicio a sus clientes y no reconocieron el problema a tiempo para poder resolverlo.

2. *Pobre comunicación.* Regularmente cuando hay un problema en que participan varias personas y no hay una buena comunicación ése es el primer obstáculo para poder resolverlo. Muchos conflictos obreros patronales no se resuelven porque se rompe la comunicación. Una de las cosas

que más afecta y da por consiguiente una pobre comunicación es la falta de confianza en la otra parte. En muchas de las empresas a las que les he dado servicio he encontrado que su personal no confía en la gerencia, no tiene una buena comunicación y no hay credibilidad para poder resolver los problemas. Las empresas que más éxito han tenido ofreciendo un buen servicio son las que tienen como política, que sus primeros clientes son sus empleados. Significa que estas empresas reconocen que tienen clientes internos que son sus empleados y clientes externos que es el público que va a buscar sus servicios. Puedo concluir que ninguna empresa puede aspirar a ofrecer un buen servicio sin antes garantizar que sus asociados estén comprometidos a dar el mejor servicio posible, y para hacerlo tienen que tener una buena relación con éstos.

3. *Información incorrecta.* Otro punto que causa problemas es que la información que recibe su cliente a través de sus asociados está incompleta o es incorrecta por lo tanto produce confusión, tensión, y malestar. Las empresas deben adiestrar a su personal continuamente y ofrecerle toda la información correcta para que puedan dar el mejor servicio posible. Gracias a la tecnología y a las computadoras disponemos de los recursos para tener la información uniforme y tomar las decisiones en una forma correcta y efectiva.

4. *Choque de ideas conflictivas.* Las personas vienen a recibir un servicio o a comprar un producto y tienen las expectativas de que su problema será resuelto en una forma cómoda, rápida, y económica, después de recibir la información se dan cuenta de que no se lo resuelven o que el costo de resolverlo es mucho más alto del que habían presupuestado. Otro caso pudiera ser que la persona esperaba que le resolvieran su situación en un determinado tiempo y le ha tomado el doble de lo esperado. Muchos de estos choques hacen que los clientes se molesten, se sientan confundidos, e inclusive busquen otras opciones para resolver su situación.

5. *Persistencia del problema.* Esto es cuando la situación que está afectando al cliente no desaparece. Usted lleva su auto al mecánico y tiene que volver varias veces porque el problema no se lo han resuelto. Es una situación desagradable que lleva al cliente a molestarse y a crear una opinión desfavorable de su mecánico. Hay que recordar que cuando un cliente se molesta necesita un promedio de seis eventos positivos para poder neutralizar el mal rato que pasó. Para resolver esta situación debemos diagnosticar qué esta causando el problema. Debemos revisar el historial del cliente, preguntar y solicitar ideas de cómo se puede resolver este problema. En nuestro seminario "El arte de servir al cliente con efectividad", establecemos una dinámica que llamamos "administrando los problemas". Para hacerlo debemos tener unas preguntas claves para identificar cuál es el problema. Por ejemplo:

1. ¿Qué es lo que está pasando?
2. ¿Cómo le afecta esta situación?
3. ¿Para cuándo quiere que el problema esté resuelto?
4. ¿Dónde necesita ayuda primero?
5. ¿Qué debemos cambiar para resolver el problema?

Es muy importante para poder identificar un problema, reconocer qué lo causó, cuáles son las cosas positivas y negativas y qué estamos dispuestos a hacer para resolverlo. El proceso para resolver problemas es muy sencillo:

1. Identificar las posibles soluciones para resolver la raíz del problema.
2. Tomar la decisión escogiendo la mejor solución en una forma firme.

3. Implementar un plan de trabajo donde se organicen las tareas, la gente, el tiempo y los recursos.

Desarrollando un plan de acción paso a paso que sea sencillo de implementar y darle seguimiento, para evaluar el proceso y saber si se está superando el problema. Cuando estamos trabajando con un grupo de personas y todas ellas tienen que ver con la solución del problema, debemos realizar una serie de acciones donde se abran los canales de comunicación para identificar cómo este problema está afectando a la compañía, conocer su raíz y crear un ambiente de compromiso para superar la situación. En esta dinámica recomendamos hacer algunas preguntas. Una vez reconocido el problema, le pedimos al personal que nos contesten las siguientes preguntas:

1. ¿Por dónde empezaría a resolver el problema?
2. ¿Qué estrategia utilizaría para resolverlo?
3. ¿Qué departamento necesita que le apoye para que resuelva el problema?
4. ¿Qué sistema de evaluación implementaría para evaluar la solución del problema?
5. ¿Qué nos costará no resolver el problema?

Tenemos que hacer consciente al grupo de trabajo que para mejorar la calidad de servicio necesitamos un compromiso de todos para unir fuerzas y enfocarnos en la solución. Mientras otros hablan de problemas, nosotros hablamos de soluciones. Mientras otros hablan de adversidades, nosotros hablamos de oportunidades. Mientras otros dicen que la situación está difícil, nosotros decimos: "Para el que cree todo es posible".

La receta que recomendamos para mantenernos en una posición proactiva es, ser flexible, escuchar más, ampliar nuestros conocimientos, darle seguimiento a los objetivos establecidos, y reconocer que todos nos beneficiaremos si superamos los obstáculos que se interponen en la consecución de nuestras metas. Todo el mundo trabaja para los clientes.

Las empresas que tienen esta política generan un entusiasmo contagioso, porque saben que sus clientes son los que pagan sus salarios. La vida de su empresa depende de sus clientes. La competencia se duplica todos los días y los clientes están más educados y son más exigentes cada día. La mejor publicidad que puede tener una empresa es un cliente satisfecho que vuelve y recomienda su organización con sus amigos y familiares.

Para conseguir esto se requiere un compromiso absoluto de la gerencia y su personal. Debemos conocer las necesidades específicas de sus clientes. Estableciendo un nivel de comunicación con ellos donde se defina qué espera el cliente de usted y cómo podemos superar las expectativas de ellos. En encuestas realizadas en las empresas que más éxito han logrado con un buen servicio, sus empleados tienen características en común.

1. *Actitud positiva.* Se enfocan en enriquecerle la vida al cliente. Saben que por cada minuto negativo, necesitan once minutos positivos para volver a la normalidad. Reconocen que cuando delegan su estado emocional en personas comunes y corrientes, producen actitudes comunes y corrientes.

2. *Saben escuchar.* No solamente escuchan las palabras que dice su cliente sino también escuchan el tono de voz que utiliza ya que está confirmado que 38% de la comunicación de la persona es el tono de voz. Cuando reciben un cliente cansado, cargado y tenso, le hacen una pregunta para cambiar su estado emocional. ¿Qué hay de bueno hoy?

3. *Íntegro.* Son personas comprometidas con la verdad. Saben que la verdad los hace libres. Que cuando no podemos ayudar a resolver un problema lo referimos a un recurso

capacitado para que resuelva la situación. Una persona íntegra no se divide, tiene claro lo que es verdad y lo que no es.

4. *Responsable.* Es una persona que tiene el compromiso de responder con sus conocimientos, habilidades, talentos, y energía, para ofrecer el mejor servicio y asume la responsabilidad de satisfacer las necesidades del cliente y superar sus expectativas.

5. *Creativo.* Una persona que puede ver distintas formas de resolver una situación, de hacer una labor y conseguir el resultado deseado. Es una persona flexible que se ajusta a los cambios e identifica recursos para resolver el problema en la forma más económica, rápida y eficiente.

6. *Flexible.* Es una persona que se ajusta con rapidez a los cambios. Reconoce que su prioridad es satisfacer la necesidad de su cliente y que muchas veces tendrá que romper las reglas de la compañía para evitar que un cliente se vaya disgustado y no regrese a su negocio.

7. *Convincente.* Es una persona que tiene credibilidad porque ha demostrado que conoce el servicio que ofrece y se ha ganado el respeto de sus clientes. Transmite confianza, seguridad, y dominio del trabajo que realiza.

8. *Entusiasta.* Es una persona que levanta el espíritu de sus clientes, le recarga las baterías y consigue que cambien sus actitudes porque transmite un entusiasmo contagioso que confirma su deseo, interés, y compromiso en ofrecer un buen servicio.

9. *Persuasivo.* Es una persona que convence. Sabe qué tono de voz usar. Ofrece beneficios y resultados. Muchas veces los clientes pueden conseguir el mismo producto en otro lugar a un costo menor pero la calidad de servicio que recibe, lo lleva a desarrollar lealtad hacia la empresa.

10. *Le gusta la gente.* Unas de las características que tienen las personas que ofrecen un buen servicio es que les gusta servir, ver a la gente contenta y resolver su situación.

Cuando un cliente va a un lugar y se siente apreciado, bien atendido, desarrolla una relación profunda con ese empleado porque se siente cómodo y confiado de que está en buenas manos.

¿Cómo utilizar el teléfono para resolver problemas?

El teléfono es una poderosa herramienta que le puede ayudar a ofrecer un buen servicio y a resolver muchos de los problemas que sus clientes le presentan diariamente. Está comprobado que éste le permite comunicarse con muchas personas sin tener que moverse de su asiento y brindar un servicio de calidad. Debemos reconocer que cuando el cliente nos escucha lo primero que hace es evaluar nuestro tono de voz, el grado de tensión que tiene y nuestra disponibilidad para escucharlo y satisfacer su necesidad. Para tener éxito resolviendo problemas y ofreciendo un buen servicio a través del teléfono debe aceptar la responsabilidad que conlleva un servicio cortés y eficiente.

Muchas veces estamos tan ocupados y enfocados en nuestro trabajo diario que no podemos pensar cómo nuestro cliente percibe nuestra actitud de servicio y nuestra disponibilidad a darlo de forma efectiva. Hemos mencionado la importancia de que su cliente desarrolle lealtad hacia su empresa y para lograrlo debemos establecer una relación con él, que aunque no lo vemos físicamente, éste nos recuerda por el trato que le ofrecemos, el servicio que brindamos y por la actitud positiva que demostramos que es muy importante para poder servirle bien. El teléfono juega un papel importante en el desarrollo de su trabajo. ¿Usted puede imaginarse tener que realizar su trabajo sin este instrumento? Hay compañías que 70% de los servicios que ofrecen a sus clientes lo hacen a través del teléfono. Se ha confirmado que los clientes que reciben sus servicios a través del teléfono son promotores silenciosos de la empresa.

Para aprender a utilizar el teléfono hay que practicar, por favor no debe practicar con sus clientes. Prepárese mental y emocionalmente. Tenga un área de trabajo donde no lo interrumpan y pueda desarrollar la conversación con privacidad y tranquilidad.

Existen normas básicas para ofrecer un buen servicio a través del teléfono:

1. Tenga toda la información sobre su trabajo.
2. No debe comer o beber mientras está hablando con su cliente.
3. Enfóquese en la conversación que está atendiendo.
4. La modulación de su voz es importante, todos tenemos voces diferentes. Hay voces relajadas, otras tienen gran tensión, unas son suaves y otras chillonas. Para administrar su voz debe controlar la energía, ésta refleja su actitud y el entusiasmo de su voz.
5. El ritmo para hablar es importante, hablar muy rápido puede crear problemas de comunicación. Un ritmo normal es de ciento veinticinco palabras por minutos. Para entrenar su voz le recomiendo que caliente sus cuerdas vocales cantando una canción.
6. Ponga una sonrisa cuando hable, su voz sonará más agradable. Ensaye practicando su conversación y grabándola en un contestador automático, luego escuche la grabación y evalúe en qué área debe mejorar.
7. Su voz refleja su personalidad, si necesita mejorarla hágalo.
8. Tome un curso de oratoria y practique las técnicas continuamente y esto le ayudará a mejorar su voz.

9. Evalúe su voz. Rasgos positivos. Rasgos que debe mejorar.

- Su articulación es clara.
- Su voz es débil.
- Tiene un ritmo normal.
- Su voz es chillona.
- Puede variar el volumen.
- Toma demasiadas pausas.
- Hace énfasis en los acentos.
- Suena nasal.
- Sonríe mientras habla.
- No transmite una sonrisa.
- Suena agradable.
- Es monótona.
- Tiene buena pronunciación.
- El tono de su voz es fuerte.

10. Un punto importante para utilizar el teléfono efectivamente es saber dirigirse a la persona que nos llama.

11. Puede utilizar el nombre o el apellido de la persona, por ejemplo: Señor Rodríguez o su título profesional. Muchas veces después de establecer una relación

personal con su cliente éste prefiere que le llame por su primer nombre.

12. El cliente comienza a evaluar el servicio que ofrece su empresa desde que comienza a timbrar el teléfono, lo recomendable es que la llamada sea contestada en o antes del tercer timbrazo. Para contestar una llamada efectivamente debe seguir cuatro pasos:

- Salude: Buenos días.
- Identifique su empresa: Empresas Valdés.
- Preséntese: Le habla el señor, o la señora ___________.
- Ofrezca ayuda: ¿En qué le podemos ayudar?, o ¿en qué le puedo servir?

Su llamada será evaluada por el entusiasmo que tenga al hablar con su cliente y que él sienta su voz en una forma genuina, que usted está comprometido a ofrecer el mejor servicio. El cliente sentirá su sonrisa. Muchas empresas utilizan un letrero al lado del teléfono que dice "sonría su cliente se lo agradecerá". Una vez establecida la comunicación, su tarea será escuchar al cliente. Podrá escuchar sus declaraciones, las preguntas que hará o las objeciones que tendrá sobre sus servicios o productos. Ignorar las preguntas o las objeciones es interrumpir la comunicación. El trabajo suyo es escuchar con atención: Le daré algunas recomendaciones para escuchar con atención:

1. Preste atención a lo que dice la persona que lo llama.
2. Siempre ofrezca una respuesta positiva.
3. Presente su respuesta en una forma clara y efectiva.
4. Nunca dé más información de la necesaria.

Su capacidad para negociar y resolver problemas incluye: Reconocer la necesidad de su cliente e identificar la capacidad de su empresa para suplir esa necesidad. Muchas veces se necesita tener la paciencia y la flexibilidad para negociar con su cliente cuando no puede satisfacer el servicio que éste solicita. Para negociar con sus clientes, haga preguntas para determinar sus necesidades específicas. Identifique un plan de acción de cómo satisfacer esa necesidad, manteniendo una actitud proactiva y orientada a servir. Si usted fuera el cliente pregúntese: ¿Cómo me gustaría que me atiendan?

El teléfono es una poderosa herramienta para darle seguimiento al servicio que se está ofreciendo para resolver su problema. Muchas veces se requiere que haga preguntas para obtener la información necesaria. Existen dos tipos de preguntas.

1. Las preguntas abiertas que se utilizan cuando quiere que su cliente le explique o le dé información sobre su situación.
2. La pregunta cerrada que se usa cuando se necesita un sí o un no. Las preguntas se pueden utilizar para determinar los problemas del cliente, entender su petición o establecer sus necesidades.

Regularmente para lograr esto se utilizan preguntas abiertas. Para lograr el consentimiento de su cliente a su recomendación o definir exactamente su problema se utilizan preguntas cerradas. Cuando está compartiendo con su cliente su prioridad es identificar qué es lo que quiere o qué necesita. En este caso se utilizan las preguntas abiertas. Estas comienzan con las palabras cómo, por qué, cuándo, quién, qué y dónde. Ejemplo:

1. ¿Cuándo recibió la mercancía?

2. ¿Por qué quiere devolver el producto?
3. ¿Quién fue la persona que le dio esa información?
4. ¿Cómo quiere recibir la devolución de su dinero?

Las preguntas cerradas comienzan con palabras como: será, ésta, tiene, es. Por ejemplo:

1. ¿Tiene usted el recibo?
2. ¿Desea recibir un catálogo nuestro?
3. ¿Está bien con usted esa hora?
4. ¿Puede participar en nuestra próxima conferencia de orientación?

Cada vez que usted recibe una llamada de un cliente debe tener un plan de acción para atenderlo:

1. Salude al cliente en una forma agradable.
2. Preséntese usted y la compañía que representa.
3. Averigue cuál es el propósito de la llamada del cliente.
4. Comunique su mensaje en una forma sencilla y amigable.
5. Mencione cómo puede resolver la situación del cliente.
6. Identifique si el cliente está satisfecho con su recomendación.

Cuando estamos trabajando con clientes estamos expuestos a recibir llamadas difíciles donde el comportamiento del cliente requiere que usted esté preparado para atenderlo. Existen varios tipos de comportamientos:

1. *El cliente decidido.* Este demuestra autoridad y exige acción inmediata. Cuando usted está con un cliente como éste es importante ser pasivo al principio y escuchar con detenimiento para poder entender el problema o la petición. Sea amigable pero específico en sus comentarios. Use preguntas cerradas para manejar la comunicación y no pierda la calma.

2. *El cliente agresivo.* Esta persona se siente incómoda y desea que le resuelva su problema ahora. Comuníquele que usted está en la mejor disposición de resolverlo pero que necesita la información para poder ayudarlo. Si usted entiende que el cliente tiene razón para estar incómodo déjele saber que entiende cómo se siente y ofrézcale ayuda para resolver su problema. La comprensión y la empatía son herramientas poderosas para ayudar al cliente. Déjele saber qué acciones tomará y mantenga una actitud de compromiso para resolver su situación.

Cuando usted está ayudando a un cliente en una situación puede ser que no la pueda solucionar de inmediato y necesitará más tiempo para resolver su problema. Usted tendrá que solicitar el permiso para volverlo a llamar comprometiéndose con una hora específica. Por ejemplo: "Señora Rivera, para poder ayudarla necesito hacer una investigación sobre su caso. Estará bien si la vuelvo a llamar esta tarde antes de las cuatro. ¿Le parece bien?" Tome acción, resuelva el caso y llame antes de las cuatro. Cuando usted termine una conversación con su cliente debe usar declaraciones agradables. Por ejemplo: "Gracias por llamarnos, gracias por su pedido. Cualquier duda que tenga por favor vuelva a llamar".

Los clientes quieren:

1. Que se les escuche.
2. Que se les ofrezca un servicio confiable.

3. Que se les dé la información correcta.
4. Un servicio estable.
5. Un servicio atento.
6. Una acción inmediata a su petición.

Su actitud es la clave para ofrecer un buen servicio.

La actitud es la forma en que usted ve las cosas. Su actitud hacia los clientes influye en su propio comportamiento y su cliente percibe cuál es su compromiso de servir bien. Su actitud refleja lo satisfecho que usted se siente con el trabajo que realiza para resolver los problemas de sus clientes. Su vocabulario corporal transmite su disponibilidad para servir.

Para fortalecer su actitud comience su día revisando las cosas positivas de su trabajo. Las actitudes positivas impactan a las personas que nos rodean. El siguiente es un ejercicio para revisar su actitud hacia el servicio.

Conteste cada declaración con honestidad. Cierto o falso:

- Los clientes dependen demasiado de nosotros._____
- Los clientes deberían entender nuestros problemas._____
- Los clientes deben ser más flexibles si no podemos resolver su problema._____
- Los clientes no deberían molestarse por tener que esperar en el teléfono._____
- Los clientes deben ser más pacientes. _____
- Los clientes deben entender que no podemos resolver su problema en la primera llamada._____

- Los clientes deberían tratar de resolver sus problemas antes de llamarnos. _____
- Los clientes comunican al supervisor sus quejas sin permitirme ayudarle._____
- Los clientes no saben la cantidad de llamadas que atiendo diariamente._____
- Los clientes esperan que le resolvamos su problema de inmediato._____

Si usted conoce personas que utilizan algunas de estas expresiones, éstas son personas que necesitan ayuda para cambiar su actitud de servicio. Son personas que deben recibir adiestramiento en el área de servicio al cliente. Si esta persona es un compañero de trabajo regálele una copia de este libro, él se lo agradecerá y sus clientes también. Recuerde que la percepción del cliente determina la calidad del servicio que usted ofrece. Los clientes satisfechos son sus mejores promotores, éstos comentan con sus amigos y familiares el servicio que recibió de usted.

En una encuesta realizada estos fueron algunos de los comentarios que los clientes hicieron del servicio que recibieron:

1. Puedo depender de sus servicios.
2. Tuve una respuesta rápida.
3. Puedo confiar en el servicio que me ofrecen.
4. Su servicio fue de gran ayuda.
5. Me escucharon y me resolvieron el problema.
6. Recibí un servicio cortés.

Para garantizar el éxito en el servicio que ofrecemos debemos comprometernos a trabajar para mejorar todos los días. Recuerde que a usted le pagan para resolver los problemas de sus clientes y éste será un reto que nunca terminará.

5

Como trabajar con clientes difíciles.

Para trabajar con clientes difíciles hay que prepararse y concientizarse. La empresa nos paga para ofrecer un buen servicio y para que sean sobrepasadas las expectativas del cliente. Nuestra actitud hacia ellos determinará el éxito o fracaso en esta misión. Nuestro nivel de energía, entusiasmo, capacidad para escuchar y administrar nuestras emociones y las de los clientes es muy importante.

Nos vamos a enfrentar a distintos tipos de clientes difíciles.

Por ejemplo, los clientes que son *exagerados perfeccionistas*, se enfocan en lo que no es perfecto. Usted les ha ofrecido un buen servicio por mucho tiempo y nunca han reconocido las cosas buenas que ha hecho por ellos. Sin embargo, un día comete un error y ellos resaltan las fallas y las debilidades de su servicio. Son personas especializadas en sabotear su persona, causando desaliento y desesperación si usted no está preparado para enfrentarse a este tipo de clientes. Estos son expertos en enjuiciar, criticar y crear sentimientos de culpa. La recomendación para administrar estos clientes perfeccionistas exagerados es reconocerlos y aceptarlos como son, este es un reto para usted. No se les enfrente, ignore los comentarios que no le enriquecen su vida. No se defienda, si ha cometido un error admítalo enseguida y enfóquese en las cosas buenas que ha realizado. Comuníqueles en una forma amistosa que lo lamenta y que tomará las medidas necesarias para que no vuelva a repetirse.

Existe otro tipo de clientes difíciles, los *supersensibles.* Estos son muy sensitivos, emocionalmente explosivos, les gusta sentirse heridos, hacerse las víctimas y se enojan con facilidad. Pienso que son personas que tienen una baja autoestima. Necesitan que se los elogie continuamente, necesitan sentirse aceptados. Cuando pierden el control de su estado emocional es mejor dejarlos en paz y si es necesesario discúlpese si usted causó el inconveniente. Recuerde que por cada minuto negativo que usted pasa con ellos necesitará once minutos positivos para volver a la normalidad.

Otro tipo de clientes difíciles son los que se *quejan de todo.* Son personas insatisfechas, amargadas, frustradas, su programación mental es negativa, se enfocan en los problemas y no ven las soluciones. No los confronte pero tampoco los ignore. Escuche a la persona mirándole a los ojos, demuestre simpatía y comprensión hacia su situación. Explíquele sobre su experiencia de cómo se puede resolver la situación que le está afectando.

Los *excesivamente agresivos,* son otro tipo de clientes difíciles. Son personas testarudas, egoístas y les gusta destruir relaciones y personas. Muchas veces demuestran un complejo de inferioridad. Para trabajar con este tipo de clientes debe mantener la calma, hablarle con tranquilidad. Sea cortés y respetuoso. Trate de entender la razón que lleva a la persona a ser agresiva.

Uno de los clientes más difíciles para trabajar son los *deprimidos e infelices.* Tienen una visión negativa de sí mismos. No se aman, no tienen metas claramente definidas y no les gusta tomar decisiones. Se desvalorizan, se sienten infelices, muchas veces tienen un complejo de inferioridad. Esto les produce ansiedad, frustración y enojo desarrollando un sentimiento de culpa. Para trabajar con un cliente deprimido usted debe escucharlo con detenimiento, y comunicarle que él tiene valor y usted está en la mejor disposición para ayudarle en lo que sea necesario. Enfóquese en las cosas buenas que tiene el cliente y ayúdelo a cambiar la creencia de derrota y desaliento. Recomiéndele que haga un inventario de todos los recursos positivos que tiene, que se rodee de personas que le enriquezcan su vida y que busque ayuda para superar esta situación.

Para ofrecer servicio a los clientes difíciles debe reconocerlos con anticipación e identificar algunas de sus características que son:

1. Murmuradores
2. Egoístas
3. No se sienten amados
4. Difícil de complacer
5. Se quejan de todo

Recuerde siempre que el amor produce paz, la alegría es el reflejo de su salud mental y la paciencia es la capacidad para esperar que las cosas cambien. Su bondad para ofrecer un buen servicio de calidad es el reflejo de su fidelidad con usted y su empresa que tiene el compromiso de ofrecer un excelente servicio.

Aprenda a controlar sus estados emocionales para poder ofrecer un buen servicio a personas difíciles

Cuando se sienta incómodo, molesto, identifique lo que está sintiendo. Tenga curiosidad por el mensaje que le está comunicando esa emoción. Desarrolle confianza en que usted puede superar esta adversidad que le ha tocado vivir. Asegúrese de que puede manejar esa emoción ahora. Enfóquese en las cosas positivas que usted tiene y una de ellas es el privilegio de ofrecer un buen servicio.

Cuando tenga que enfrentarse a una situación difícil con su cliente, hágase esta pregunta:

1. ¿Qué puedo aprender de esta experiencia?
2. ¿Qué cambios debo hacer para que esta situación no se vuelva a repetir?
3. ¿Quién me puede ayudar a superar esta situación?
4. ¿Qué es lo más malo que me puede suceder si no resuelvo esta situación?

Sus pensamientos producen sus actitudes y sus actitudes controlan su calidad de trabajo. Los pensamientos le permiten ver, imaginar, crear en su mente lo que usted va a hacer o lo que va a decir.

Es importante que usted sature sus pensamientos con cosas buenas. La oración, la lectura, y rodearse de personas que le enriquezcan su vida le puede ayudar a hacer la diferencia cuando tiene que trabajar con personas difíciles. Son herramientas poderosas para poder trabajar con estos tipos de personas. Para lograr esto revise su autoestima. A continuación le ofrezco unas preguntas para que las utilice en su evaluación:

1. ¿Le gusta su persona?
2. ¿Cuál es su mayor fortaleza?
3. ¿Sabe usted quitarle fuerza a las situaciones adversas?
4. ¿Está disfrutando de su vida?
5. ¿Se siente feliz?

Las personas que se sienten felices tienen características en común. Tienen una visión de su vida, han establecido un propósito en ella, saben en qué persona se quieren convertir. Trabajan para alcanzar sus metas y saben que para lograrlas necesitan trabajar en equipo, donde todo el mundo tenga la oportunidad de ganar. Son personas que pueden establecer buenas relaciones y saben comunicarse con las personas que les rodean.

Hay unas reglas para mantener una buena relación con sus clientes:

- Hay que ser genuino, transparente, ser uno mismo.
- Reconocer que lo que se hace mal produce cosas negativas.
- No le haga a nadie lo que no le gustaría que le hicieran a usted.
- Supere el rechazo, las frustraciones, el enojo, la humillación, porque éstas son semillas que producen cáncer emocional y lo inhabilitan para trabajar con clientes difíciles.
- Recuerde que los clientes difíciles se enfocan en lo que no es perfecto, no saben administrar sus estados emocionales, son testarudos, egoístas y destructivos, no se sienten amados y violan la confianza que se ha depositado en ellos.

Para desarrollar una buena autoestima es necesario conocer quién es usted, reconocer cuáles son sus habilidades y destrezas. Definir en qué persona usted se quiere convertir y saber quitarle fuerza a las cosas negativas. Una persona que tiene una buena autoestima sabe motivar a sus clientes, sabe escuchar, identifica los problemas de sus clientes y trabaja para encontrar soluciones. Le voy a ofrecer una evaluación que le va ayudar a definir su realidad personal en su trabajo:

1. ¿Le gusta su trabajo?
2. ¿Le permite crecer su trabajo?
3. ¿Las relaciones con sus compañeros son buenas?
4. ¿Se siente cómodo cuando comparte con personas que usted no conoce?
5. ¿Está utilizando bien sus talentos y habilidades?
6. ¿Puede usted trabajar con clientes difíciles?

Las personas que trabajan con clientes difíciles, tienen características en común:

1. Tienen un sentido de confianza y seguridad
2. Tienen una identidad propia
3. Tienen un sentido de servir con generosidad
4. Cuidan su integridad y honestidad
5. Saben tomar decisiones de calidad
6. Disfrutan ayudar a sus clientes

Las personas que tienen dificultad para trabajar con clientes difíciles también tienen unas características:

1. No escuchan
2. Se les hace difícil aceptar sus errores
3. Les gusta impresionar a sus clientes
4. Se les hace difícil aceptar los cambios
5. Tienen dificultad para pedir disculpa

Recuerde que trabajar con clientes difíciles requiere que usted se comunique en forma efectiva. Hable con el cliente y sonría, hable despacio y tome pausas con frecuencia. Transmita tranquilidad, no tenga prisa. Mírelo fijamente a sus ojos e identifique la necesidad de su cliente.

Debe aprender a administrar las quejas de su cliente, escuche su queja, y el tono de voz que utiliza. Es importante no reaccionar, mantenga la calma y el control, haga un comentario conciliador, menciónele al cliente que lamenta mucho esta situación. Interrumpa el enojo que muestra con un comentario de compromiso para resolver la situación. Háblele de la solución, explíquele la política de su compañía y resuelva la situación de su cliente si está a su alcance. Verifique si el cliente está satisfecho con su servicio. Si no lo puede resolver menciónele al cliente que lo siente y notifique a su superior sobre la situación.

Muchas veces los clientes se disgustan porque sus expectativas no fueron satisfechas. Otras veces llegan cansados, frustrados, tensos, angustiados y su reto es ayudarle a que cambien su estado emocional y satisfagan su necesidad. Muchos clientes difíciles piensan que deben gritar y hablar fuerte para que se los atienda. Otras veces los clientes regresan molestos porque lo que compraron no les resolvió su problema, no le cumplieron lo que le prometieron y se sienten perjudicados.

Los clientes disgustados quieren que les resuelvan su problema rápido, ser tratado con respeto, que se le cambie su producto si está defectuoso y que no se repita la situación que les afectó. Para calmar a su cliente disgustado, ofrézcale disculpa por la situación. Comuníquele que usted está dispuesto a ayudarle, demuéstrele que valora su patrocinio. Consiga toda la información de su cliente y explíquele las distintas opciones disponibles para resolver su problema.

Para mí, uno de los mayores retos en mi trabajo es ofrecer un buen servicio al público. Para lograr esto hay que saber trabajar con personas difíciles. Durante estos últimos 20 años he compartido con miles de personas y he desarrollado varias estrategias para trabajar con clientes difíciles. Lo primero que tenemos que aceptar es que somos diferentes. Dios nos hizo diferentes, nos dio libre albedrío. Nos dio la capacidad de pensar, crear, imaginar, visualizar e interpretar. Todos tenemos algo en nuestra vida que nos hace ser una persona difícil.

Cuando usted está sirviendo a una persona y le da algunas recomendaciones, ésta las interpreta a su mejor entendimiento. Uno de los primeros requisitos para atender personas difíciles es establecer una buena comunicación y determinar qué es lo que nos proponemos ofrecerle. La verdad es que parece sencillo, pero no lo es. La persona tiene muchas situaciones que le impiden comunicarse con efectividad. Una de ellas es la cantidad de experiencias, referencias, prejuicios, opiniones y creencias que, a pesar de que hemos llegado a un acuerdo en nuestras conversaciones, desarrollan unos pensamientos de dudas en esa persona que son como un bombardeo de sentimientos y emociones, que pueden hacerle cambiar de opinión en muy pocos segundos.

Este proceso se complica cuando sabemos que la persona que estamos tratando de ayudar tiene la capacidad de almacenar un promedio de 300 mil horas vividas que están grabadas en su subconsciente y muchas veces estas experiencias y conocimientos se convierten en una muralla de acero que impide que nuestro mensaje penetre. Porque se enfoca en los problemas y no en las soluciones. Las personas que ofrecen servicios de calidad tienen una característica, no invierten más de 10% de su tiempo en los problemas y 90% en las soluciones.

La verdad del caso es que muchas veces nos programamos para evaluar las situaciones que tenemos que vivir de acuerdo a las referencias y experiencias que hemos experimentado en el pasado. Muchas veces funcionamos como un piloto automático de un avión. Eso me hace recordar de uno de mis viajes a Brasil. Pude disfrutar de un sinnúmero de restaurantes que prepararon una variedad de platos exquisitos. Precisamente la palabra "exquisito" en Brasil significa una cosa rara. Para nosotros en el Caribe significa algo rico o delicioso. Durante los seis días que estuve en el país utilicé automáticamente la palabra exquisito a pesar de que sabía que no era la palabra correcta. Lo mismo le sucede a las personas. Se programan para hablar utilizando unas palabras negativas en particular y reaccionan automáticamente. Por cierto ese viaje marcó mi vida porque me permitió conocer un país rico en cultura y de gente muy especial. En este momento me acaban de informar que mi libro "Motivemos a nuestra gente" ha sido traducido al portugués.

Se requiere un proceso de aprendizaje para poder cambiar el comportamiento y las actitudes de las personas. Requiere conciencia de la necesidad del cambio, deseo, disciplina, flexibilidad y compromiso para poder cambiar. Uno de los ejemplos que utilizo en nuestro seminario es el del elefante.

A éste lo condicionan para que no se mueva. Usted va a un circo y ve ese elefante grande y poderoso que pesa miles de libras y no se mueve. Lo tienen amarrado a una estaca con una soga que mide unos cuantos metros. ¿Por qué el elefante es así? Cuando el elefante es pequeño lo amarran a un árbol bien grande con una fuerte cadena, él trata de soltarse y le toma un tiempo para darse cuenta de que no puede moverse, sus patas le empiezan a doler y a sangrar. Se convence que es imposible poder moverse y toda su vida será condicionada por la creencia de que no se puede mover a pesar que tiene la fuerza para llevarse el circo por delante si así lo decide.

Hay otro ejemplo interesante y es el del árbol bonsai, que no crece más de 18 pulgadas (27 cm.) porque cuando es pequeño le cortan sus raíces para que no crezca. Usted ve este árbol miniatura y parece que es de mentira, pero lo cierto es que es de verdad. A muchas personas les sucede lo mismo cuando se enfocan en hacer una actividad negativa, y no consideran otra alternativa. No ven estas alternativas porque están enfocados en el problema y no en la solución.

Como personas que nos dedicamos a servir a nuestros clientes debemos estar conscientes de que nuestra primera responsabilidad es conocer a la persona, sus creencias, sus valores, referencias y experiencias para poder satisfacer sus necesidades. Por supuesto, esto no se puede hacer en una conversación de minutos, debe ser una de sus metas poder desarrollar una relación profunda con su cliente.

Si estamos hablando de trabajar con clientes difíciles lo primero es que debemos estar alerta y observar muy bien a las personas. Recuerde que 55% de la comunicación de la persona es la comunicación corporal.

Cuando las personas están cargadas, deprimidas, ansiosas o preocupadas, usted lo puede percibir en los primeros 30 segundos que comparte con ellas. Lo puede notar porque su piel se ve muy tensa, sus cachetes están caídos, su frente está ceñida y sus párpados están caídos. Cuando la persona está motivada usted ve que sus cachetes están levantados, su sonrisa transmite confianza, se mueve y camina con paso firme porque sabe hacia dónde se dirige.

Otro punto importante es el tono de voz ya que representa 38% por ciento de la comunicación. La tensión del tono de voz transmite el estado emocional. Muchas veces le pregunto a las personas cómo se encuentran, me contestan sin entusiasmo: "Ahí... como Dios quiere, muriéndome". Entiendo que Dios no quiere que se muera. Pero el estado emocional de la persona me confirma que se siente sin fuerza.

Hace algún tiempo que eliminé la pregunta: ¿Cómo se siente? la sustituí por la pregunta: ¿Qué cosas buenas están pasando hoy? Esta pregunta lleva a la persona a desenfocarse de la adversidad y lo motiva a identificar las cosas buenas que tiene dormidas dentro suyo. Poder trabajar con clientes difíciles es un arte. No solo se trata de observar el movimiento de los ojos, de la boca, de las manos o los hombros, sino que tenemos que ser sensibles al espíritu, conocer las necesidades de las personas que se nos acercan. ¿Cuál es el objetivo de las preguntas que hacemos? ¿Qué intención tiene la pregunta que le estamos haciendo? ¿Cuál es el propósito del comentario que le están haciendo sobre su situación? Cuando le hacemos una pregunta al cliente lo desconectamos de su adversidad y lo ayudamos a enfocarse en bendiciones que lo rodean. Creo que la sabiduría que da Dios para trabajar con personas difíciles no tiene competencia.

Personalmente estoy todos los días frente a situaciones no planificadas, muchas veces tomo decisiones difíciles por control remoto debido a que no estoy en mi oficina porque viajo varias veces durante el mes y trabajo en 25 países a la vez. Muchas veces tengo que trabajar con personas de distintas creencias, culturas y diferentes tipos de negocio. Esto requiere escuchar con detenimiento y no apresurarse a contestar. Cuando uno está trabajando con clientes difíciles debe establecer de inmediato la necesidad de esa persona. ¿Qué necesita o qué quiere esta persona? ¿Cómo le puedo ayudar a satisfacer su necesidad? ¿Cuáles son las creencias que le dan fuerza? ¿Cómo puedo ser un buen facilitador de servicio? Este tipo de pregunta le ayudará a desarrollar una actitud de cooperación y la persona va a sentir que usted tiene la disposición de facilitar y ofrecer un buen servicio. Es sorprendente la cantidad de personas que sin conocerlas, porque las está viendo por primera vez, sin haberles hecho nada, son sus enemigos voluntarios. Recientemente en uno de nuestros seminarios se me acercó una señora durante el receso y comenzó a dar vueltas alrededor mío. Yo estaba atendiendo a las personas que tenían preguntas y firmando algunos libros. Se me acercó y me hizo unos comentarios negativos sobre nuestros libros, sin haberlos leído. Después de escuchar los comentarios de la señora, le respondí que eso no era cierto y le pregunté si había leído alguno de mis libros. Entre ellos se encuentran: "Motivemos a nuestra gente"; "Los retos del líder en el Siglo XXI" y "Somos la fuerza del cambio". Me contestó que no los había leído. Le recomendé que los leyera y le invitaba a que si conseguía alguna información que confirmara lo que ella alegaba me lo dejara saber. Fue muy reconfortante cuando al mes siguiente la misma señora me escribía una carta disculpándose y felicitándome porque había leído nuestros libros y consideraba que habían sido de bendición para su vida.

Otro punto importante es saber reconocer el carácter de sus clientes. No todo el mundo reacciona igual a lo que usted comunica. En mi segundo libro "Somos la fuerza del cambio" en el tercer capítulo hablo de la importancia de reconocer su carácter. En esta ocasión voy a darle unas herramientas que le ayudarán a entender a sus clientes y saber cuáles son los puntos fuertes y débiles de cada carácter. Comencemos identificando los cuatros tipos de carácter:

1. El cliente dominante:

Tiene un carácter fuerte, le gustan los retos, conseguir los resultados rápidos, muchas veces es impaciente, toma decisiones pensando en los resultados que desea conseguir. Se enfoca en el presente, muchas veces no escucha, toma control de la conversación y no para de hablar. Regularmente transmite ansiedad y cuando está bajo presión es un autócrata, es decir que da un golpe de estado y establece qué es lo que se va hacer.

2. El cliente influyente:

Es una persona divertida, simpática, alegre, siempre tiene algo que contar. Regularmente es excelente en relaciones públicas. Le gusta la visibilidad, que se le reconozca, que las personas lo sigan voluntariamente. Se enfoca en el futuro, no ha terminado una meta y ya está hablando de lo que hará el próximo mes o el próximo año. No sabe decir no por temor de que la persona se sienta mal, esto hace que no pueda cumplir con los compromisos contraídos. Cuando está bajo presión ataca. Por ejemplo, reclama que después de haberlo ayudado tantas veces, como es posible que no lo ayuden en este momento.

3. El cliente sólido:

Es una persona muy especial: callada, muy leal, complaciente, le gusta apoyar para ayudar a conseguir las metas que usted se ha propuesto. No le gusta el reconocimiento, sin embargo, le gusta que se le atienda bien, es muy buen oidor. Tiene capacidad para integrar y unir a las personas para trabajar en grupos. Se enfoca en el presente y toma decisiones pensando en lo que piensa la mayoría del grupo. Cuando está bajo presión no le gusta la confrontación, se retira y sacrifica los proyectos establecidos.

4. El cliente condescendiente:

Es persona muy exigente, le gusta la calidad. Sabe identificar los errores sin dificultad. Tiene capacidad para escuchar y apoyar a las personas. No se compromete con facilidad, precipitadamente, es cauteloso, necesita mucha evidencia. Toma decisiones lentamente, tiene tres velocidades para tomar decisiones: Lento, lentísimo y parado. Cuando está bajo presión accede para no crear problemas pero no se da por vencido con facilidad.

A continuación usted tendrá una evaluación de los puntos fuertes y los puntos débiles de cada carácter de su cliente. Lea con detenimiento y seleccione cuál de éstas le describe mejor a usted. Subraye las palabras que más le dan fuerza y las que le debilitan. Luego sume el total de puntos de cada columna de los puntos fuertes y débiles de cada carácter. Los dos números más altos describirán su carácter.

*Marque las palabras que más lo describen a usted.

Déle un valor de (1) un punto y sume hacia abajo cada línea.

Dominante

Puntos fuertes	Puntos débiles
aventurero	mandón
persuasivo	insensible
carácter fuerte	resistente
competitivo	franco
confiado	impaciente
positivo	indiferente
seguro	testarudo
franco	orgulloso
energético	discutidor
emprendedor	nervioso
confidente	dominante
independiente	intolerante
decisivo	manipulador
tenaz	obstinado
líder	imprudente
jefe	astuto
valiente	poco temperamento
Puntuación: ________	Puntuación: ________

Influyente

Puntos fuertes	**Puntos débiles**
animado	descarado
humorístico	indisciplinado
sociable	repetitivo
convincente	olvidadizo
refrescante	interrumpe
promotor	imprevisible
espontáneo	caprichoso
optimista	permisivo
gracioso	se enoja fácil
muy amable	inocente
alentador	desordenado
inspirador	inconstante
demostrativo	desorganizado
hablador	ostentador
popular	atolondrado
alegre	inquieto
encantador	cambiante
Puntuación: ________	Puntuación: ________

Sólido

Puntos fuertes	Puntos débiles
adaptable	vago
pacificador	desanimado
sumiso	reacio
controlado	temeroso
reservado	indeciso
paciente	no participa
tímido	inquieto
obligado	sencillo
amigable	a la deriva
diplomático	indiferente
complaciente	no habla claro
inofensivo	lento
humorístico	ocioso
tolerante	comprometedor
mediador	se preocupa mucho
Puntuación: ______	Puntuación: ______

Condescendiente

Puntos fuertes	**Puntos débiles**
analítico	tímido
persistente	no perdona
sacrificado	resentido
considerado	molestoso
respetuoso	inseguro
planificador	no es popular
programado	difícil de complacer
ordenado	pesimista
fiel	aislado
detallista	depresivo
educado	introvertido
idealista	criticón
profundo	escéptico
cuidadoso	sospechoso
leal	vengativo
perfeccionista	inestable
Puntuación: ____________	Puntuación: ____________

Resumen de la evaluación del carácter.

En esta tabla encontrará un resumen de los cuatro caracteres identificando los puntos fuertes y débiles. Qué les motiva a cada uno, cómo administran su tiempo, cómo toman decisiones, cómo se comunican y cómo reaccionan cuando están bajo presión.

Resumen de análisis de carácter

	Dominante	**Influyente**	**Sólido**	**Condescendiente**
Valor para el equipo	Toma iniciativa	Se relaciona con otros	Seguimientos especiales	Se concentra en los detalles
Puntos fuertes	Se enfoca en los propósitos y lleva a cabo sus proyectos	Entusiasma, motiva y hace participar a otros	Habilidad para integrar al grupo	Exactitud al analizar la información
Debilidades	Insensible hacia otros, impaciente	Impulsivo se desenfoca y no ve detalles	Sacrifica los resultados por la armonía	Demasiado cauteloso; detallista, pierde la noción del tiempo
Motivado por:	Resultados: retos, acción	Reconocimiento, aprobación, visibilidad	Relaciones, apreciaciones	Estar en lo correcto: Calidad
Administración del tiempo	Se enfoca en el presente; usa efectivamente el tiempo	Se enfoca en el futuro; tiende a apresurarse hacia lo próximo	Se enfoca en el presente, invierte tiempo en las relaciones	Se enfoca en el pasado; trabaja más despacio para lograr perfección
Comunicación	Inicia conversación, no es buen oidor	Estimulante, inspira a otros	Comunicador eficaz	Buen oidor, sigue instrucciones
Toma de decisiones	Impulsivo: toma decisiones con el objetivo en mente	Intuitivo: piensa en la victoria	Depende de la opinión de otros	Cauteloso, necesita evidencia
Conducta bajo presión	Autocrático	Ataca	Accede	Evita

Sería interesante que le diera esta evaluación a su equipo de trabajo y que cada uno conociera sus puntos fuertes y débiles, en qué área son efectivos y cómo esto le puede ayudar a trabajar con personas difíciles. Para trabajar con personas difíciles tenemos que ser flexibles porque el comportamiento de otras personas puede determinar nuestro éxito. Muchas veces las cosas no salen como planificamos. Es un problema muy común, porque la comunicación no es la correcta y lamentablemente no se pueden lograr los resultados deseados debido a que no contamos con la cooperación de nuestros asociados.

Existe mucha información sobre el comportamiento de sus clientes, es tan variada que sólo podemos identificar unos patrones a grandes rasgos, pero no tenemos una fórmula para poder trabajar con todo el mundo de la misma forma. Esto nos lleva a pensar que el estilo de comunicación será diferente en cada cliente y en cada persona puede variar su estilo de acuerdo a la situación que tenga que enfrentarse.

Para trabajar con clientes difíciles es necesario saber influenciar el comportamiento de ellos. Saber que las personas no son estáticas pues son cambiantes. Esta es una realidad de la vida y su capacidad de servir ayudará a fortalecer a esa persona para que tenga un cambio de actitudes.

6

Administre su estado emocional

Uno de los mayores retos para las personas que se dedican a trabajar con el público es saber administrar su estado emocional, fortalecer su inteligencia emocional. La primera pregunta que nos debemos hacer es: ¿Qué es la inteligencia? ¿Por qué será que algunos son excelentes estudiantes y pasan a trabajar para otros que no fueron tan sobresalientes en sus estudios? Hay otros que son excelentes estudiantes, excelentes empleados, pero son un fracaso en sus relaciones personales. Los estudiosos de la conducta humana han llegado a la conclusión de que la persona exitosa es aquella que puede desarrollar un balance entre su inteligencia emocional y la inteligencia intelectual. Es muy divertido cuando uno conoce la diferencia de cada una y la utiliza para desarrollar y ofrecer un buen servicio.

Debemos contestar lo que es la inteligencia. Podemos definirla como su capacidad para responder con sus habilidades, talentos y experiencias a las situaciones no planificadas que se le presentan todos los días. Es la capacidad de tomar decisiones aunque muchas veces no tenemos toda la información, pero la conciencia nos dicta que ése es el mejor camino. Somos muy inteligentes en unos momentos y en otros necesitamos ayuda para poder resolver las adversidades no planificadas. Se ha establecido que tenemos dos clases de inteligencia, la inteligencia intelectual y la inteligencia emocional.

La inteligencia intelectual la enseñan en la escuela, nos enseñan a pensar, reflexionar, sumar y restar, conocer los significados de las palabras y utilizar la lógica. Somos entrenados a dominar conocimientos de mucho valor pero no necesariamente nos garantiza una calidad de vida, ni tampoco nos lleva a establecer buenas relaciones con los demás.

La inteligencia emocional nos la enseña la vida diaria, las experiencias vividas, nuestra familia y los caracteres de nuestros padres. Muchas veces tomamos nuestras decisiones en una forma rápida, nuestros sentimientos nos llevan a actuar y a movernos sin pensar en las consecuencias que pueden causar esas decisiones o comentarios. Es importante conocer la definición de lo que es una emoción:

Es un estado mental que nos produce un sentimiento de pasión, de agitación o excitación.

Hay emociones que nos debilitan y nos quitan fuerza como la ira, el resentimiento, la tristeza, la depresión, la ansiedad, la preocupación, el miedo, la vergüenza y otros.

Se ha comprobado que cuando usted está rodeado por situaciones adversas su energía disminuye, se siente insuficiente y se nubla su entendimiento. Produce resultados pobres. Hay emociones que nos dan fuerza, nos llenan de entusiasmo, de energía y confianza como lo son la felicidad, el amor, la seguridad, la alegría, la simpatía, el placer, la satisfacción, etcétera. Le recomiendo que en la mañana se haga algunas preguntas para comenzar el día:

- ¿Qué me hace feliz hoy?
- ¿De qué me siento orgulloso?
- ¿Qué personas enriquecen mi vida?

- ¿Qué espero que suceda hoy que me permita crecer?

Haciéndose estas preguntas y compartiéndolas con sus seres queridos usted lleva su sistema nervioso a enfocarse en las cosas que le dan fuerza.

Cuando usted se hace una pregunta en veinte milésimas de segundo, identifica la respuesta a su pregunta y fortalece su estado emocional. Muchas veces los sentimientos negativos que se producen, surgen cuando estamos rodeados de personas negativas que afectan nuestra vida, nuestro trabajo y nuestra productividad. Por ejemplo, las personas celosas viven una crisis porque su compañero o compañera está dando indicios de que las cosas ya no son como antes, sería bueno mencionar que los divorcios están atacando a nuestras familias en una forma tremenda, en los Estados Unidos 50% de los matrimonios se están divorciando.

Tomemos el ejemplo de esa pareja que está en conflicto, la persona se siente decaída, sin sentido de la vida, su mundo se está acabando, produce pensamientos de derrota y depresión. Su estado sicológico es uno de desaliento ya que su mayor fuerza que es su compañero o compañera está dando síntomas de que tiene otros intereses. Esta situación afecta directamente la calidad de trabajo que realiza esta persona. Si el caso es un cliente que tiene esta situación puede hacerle su vida difícil porque decidió desquitarse con usted.

Otra área que se afecta es el estado biológico de la persona. Se pone nervioso, se altera, se preocupa y no puede pensar con claridad. La preocupación se define como la habilidad de ocuparse anticipadamente. Muchas veces la persona filma unas películas imaginariamente y después de un tiempo se da cuenta que nada de lo que imaginó era real. Existe la preocupación neurótica cuando la persona vive las 24 horas del día pensando en un problema en particular hasta que se enferma, se deprime y pierde la razón de vivir.

Todo este proceso afecta la conducta de la persona. Muchas veces puede atentar contra su compañero o su rival, hoy día se han duplicado los asesinatos pasionales y se debe a que las personas no han aprendido a administrar su estado emocional. Es de vital importancia reconocer que el ser humano tiene que balancear todas las áreas de su vida física, emocional, mental y espiritual. Para desarrollar la inteligencia emocional tenemos que aprender a desactivar todas las turbulencias emocionales negativas que nos están afectando.

Hay pensamientos que nos sabotean como el afán de recibir reconocimientos, conseguir la perfección o tener una supuesta seguridad financiera garantizada. Estamos viviendo unos días donde las personas viven en un estado de ansiedad por conseguir las soluciones a los problemas que les afectan y pierden el contacto de su realidad porque se enfocan en el problema y no en la solución. Muchas veces son inflexibles cuando las cosas no son como ellos quieren y desarrollan una actitud de que hay que complacerlos porque ellos piensan que se lo merecen porque son los clientes.

Usted debe desarrollar la conciencia de que su mayor reto es trabajar con sus clientes, y desarrollar una buena relación con ellos porque se ha ganado su respeto, cariño y admiración. Usted tendrá la responsabilidad de levantar el espíritu de sus clientes, conseguir que sus pensamientos y sus sentimientos se conviertan en acción. Desarrollará la habilidad de ayudar a su gente a convertir lo invisible en visible, lo difícil en fácil y lo imposible en posible. Para lograr esto tendrá que convertirse en un facilitador, maestro, entrenador y consejero de sus clientes.

Más importante aún es reconocer la diferencia entre la inteligencia emocional y la inteligencia intelectual.

La inteligencia: Emocional versus Intelectual

Orientado hacia la gente	Orientado hacia el YO
Se enfoca en las personas	Se enfoca en los hechos
Toma decisiones según lo siente	Toma decisiones lógicas
Se dirige por los sentimientos	Se dirige por la razón
Es rápido e impaciente	Es lento y no tiene prisa
Decide basado en la experiencia.	Decide basado en datos
Cree en su decisión	Medita y revisa su decisión

La inteligencia emocional requiere que su comunicación interpersonal sea balanceada. La comunicación interpersonal se refiere a ser sensible a los estados de ánimo de las personas que comparten con usted, cómo actúan, cómo piensan y por qué se comportan de esa manera. La comunicación interpersonal es saber leer los sentimientos de uno mismo y reconocer que éstos nos están tratando de comunicar algo ya que detrás de ellos hay una gama de situaciones, experiencias, creencias y valores que nos llevan a ver las situaciones de una manera en particular. La pregunta que usted debe estar haciéndose es: ¿Cómo puedo administrar mi estado emocional, cuáles son los pasos a seguir?

Existen cinco habilidades básicas para administrar su estado emocional:

La primera habilidad es *conocerse a sí mismo.*

Es importante reconocer que usted es un original, no hay una fotocopia suya entre los 6 billones de personas que viven en el planeta Tierra. El conocerse implica saber contestar la pregunta ¿Quién soy yo? Usted me puede preguntar quién soy. "Pues J.R. Román es un hijo de Dios, que a pesar de que nos hizo diferentes me construyó igual a usted, tengo 208 huesos, 500 músculos, 7 mil nervios, puedo respirar 2.400 galones de oxígeno diariamente, puedo hablar 150 palabras por minuto, puedo escuchar 400 palabras por minuto, soy un milagro que tengo sueños y metas. Tengo un propósito para vivir. Tengo una esposa extraordinaria con quien llevo 23 años de casado, hemos procreado dos niños preciosos y saludables, José Ramón III de 18 años y Pablo José de 17 años. Nacieron el mismo día nueve de agosto, José en 1981 y Pablo en 1982. Tenemos una familia preciosa que nos da fuerzas para levantarnos todos los días a trabajar para cumplir con nuestros compromisos profesionales. Anualmente visito más de 30 ciudades en Estados Unidos, Latinoamérica y el Caribe presentando nuestros seminarios, conferencias y talleres. Durante los 10 años pasados le he hablado a más de 500.000 mil personas en nuestras presentaciones. Me apasiona saber que mi primer libro 'Motivemos a nuestra gente' se haya traducido al portugués y al inglés. He ayudado a miles de personas a fortalecer su vida emocional, intelectual y espiritual".

Es importante que usted se conteste esta pregunta: ¿Quién soy? Tome un papel y un lápiz y escriba un párrafo que explique quién es usted, como primer paso para conocerse a sí mismo. Otro paso importante es definir el propósito de su vida, esta pregunta es vital porque el mayor problema que tienen las personas es una autoestima baja. Se desvalorizan, se ven como personas insignificantes. Este es un error imperdonable si usted cree en Dios. La Biblia nos menciona que Dios nos hizo a su imagen y semejanza.

No podemos tener una inteligencia emocional si no tenemos una autoestima saludable. Su autoestima es su radiografía, es como usted se ve. Para desarrollar una buena autoestima tiene que tener confianza en usted, en su potencial, en sus talentos y habilidades.

Debe poseer seguridad en su persona, me imagino que lo que usted dirá es: "Si, pero yo he oído esto muchas veces y se me hace imposible creer en mí". Así me han dicho cientos de los participantes de nuestros seminarios. La verdad es que tenemos que reconocer que en nuestro sistema nervioso están grabados miles de horas de vida. En su subconsciente hay grabadas miles de experiencias, conocimientos, datos y recuerdos de muchos momentos de su vida. Se confirma que la persona que tiene 40 años tiene unas 350 mil horas de vida grabadas en su subconsciente.

El problema es que desde muy pequeños nos hablan de que no servimos, que no nos atrevamos a soñar porque somos pobres, muchas veces no hemos terminado nuestros estudios o fracasamos en el matrimonio. Lamentablemente nos enseñaron a enfocarnos en las adversidades y no en las bendiciones. Lo importante no debe ser lo que nos sucedió, sino cómo nos levantamos para pavimentar el camino para desarrollar una mejor calidad de vida.

Otro punto importante para desarrollar una autoestima saludable es tomar decisiones. El no tomar una decisión es tomar una decisión. Hoy usted está invitado a reorganizar su vida para comenzar de nuevo. A mí personalmente no me preocupa su pasado. Yo aprendí el 31 de agosto de 1980 a las 9:00 de la noche escuchando un mensaje del apóstol Pablo que dice: "todas las cosas viejas pasaron y para aquel que acepte al señor Jesucristo todas las cosas le serán hechas nuevas". A mí este mensaje me quitó 10.000 libras de peso y automáticamente me sentí libre para comenzar una nueva vida.

Después de ese evento tuve que trabajar con mis actitudes, hábitos, creencias y valores. Buscar la dirección de

Dios y reconocer cuál es el propósito de Él en mi vida. Me di cuenta que no era fácil porque me había condicionado a pensar de una forma particular, tenía muchas horas de vida vividas con muchas adversidades, pero comprendí que aquella decisión había cambiado mi destino. Las decisiones que usted tomó en los cinco años pasados son el resultado de hoy y las decisiones que tome hoy serán el resultado de su futuro. La calidad de sus decisiones producirá su calidad de vida.

Cuando uno tiene una autoestima saludable sabe tomar iniciativas. Se mueve con la confianza de que va por el camino correcto y tiene la seguridad de que podrá realizar esas metas y esos sueños que hacía tan sólo un momento se veían muy lejanos. Le invito a que se atreva. Hace unos años escribí un mensaje después de alcanzar una meta muy importante en mi vida y lo voy compartir con usted:

> Te invitamos a que cambies tu vida. ¿Te atreves? Aquel que se atreve a sembrar un deseo claramente definido en su corazón y confía en lograr la perseverancia necesaria para luchar por ese deseo podrá visualizar su conquista. Desarrollará un compromiso absoluto que lo llevará inevitablemente a alcanzar sus sueños. Sencillamente lo que piense será suyo, lo que siembre eso recogerá. Siembra tú grandes sueños y recogerás grandes resultados.

Las personas que tienen una autoestima saludable saben lo que quieren conseguir, saben los resultados que quieren producir y se enfocan e invierten sus energías, sus conocimientos y recursos para alcanzar los objetivos establecidos. Son personas de acción, saben lo que hay que hacer, están dispuestos a pagar un precio, el precio del éxito se paga por adelantado y al contado y se paga trabajando, no se puede conseguir fiado. Antes de comenzar un proyecto saben cómo conseguir los resultados deseados.

Identifican los conocimientos que necesitan para alcanzar los objetivos deseados. Tienen la capacidad de evaluar los cambios que tienen que producir en su persona para conseguir los resultados deseados y trabajan con sus creencias porque saben que éste será el mapa que los llevará a alcanzar sus sueños.

Tienen la capacidad de ser flexibles para corregir lo que no es perfecto y se adaptan a las situaciones no planificadas. Para conocerse a sí mismo es importante establecer su misión y su visión en la vida. Saber en qué persona se quiere convertir, cuál es la contribución que desea hacer para las próximas generaciones. Cuando hablamos de misión, hablamos a corto plazo de qué tenemos que hacer para llegar a alcanzar las metas a largo plazo. La visión nos lleva a visualizar donde queremos llegar. Cuál será nuestra contribución a las próximas generaciones y cómo queremos ser recordados.

El segundo paso para administrar su estado emocional es: *Aprender a manejar sus sentimientos.*

Por muchos años he tenido que aprender a trabajar con mis emociones. Tengo tres preguntas que las utilizo para administrar las adversidades y los problemas:

- ¿Qué puedo aprender de esta situación?
- ¿Qué es lo más malo que me puede suceder?
- ¿Voy a perder la vida, la familia, el trabajo?

Si no va a pasar nada de esto, el problema tiene solución. Muchas veces nos ahogamos en un vaso de agua porque nos enfocamos en el problema pero no en la solución. Otras preguntas que me hago son:

- ¿Quién me puede ayudar?
- ¿Quién ha resuelto esta situación anteriormente?

Después de conseguir la solución me pregunto:

- ¿Qué cambios debo dar para que esto no me vuelva a suceder?
- ¿Si no hago estos cambios qué precio me va a costar no realizarlo?

Tenemos que estar alertas a los sentimientos que nos enfrentamos diariamente. Debemos aprender a desactivar las emociones que nos afectan, creo que hay tres recursos poderosos para lograrlo:

1. La calidad de comunicación con usted.
2. La calidad de personas que lo rodean.
3. La administración de nuestras adversidades.

Para administrar nuestras adversidades tengo que estar consciente que mis emociones me están comunicando cosas buenas y cosas negativas. Muchas veces estoy en el automóvil y me acuerdo que dejé algo. Por ejemplo: la cartera se quedó en el hotel donde estaba hospedado y voy rumbo hacia el aeropuerto porque tengo que tomar otro avión que me llevará a otra ciudad para ofrecer un seminario y no puedo regresar a buscarla porque puedo perder mi avión. Me pregunto qué puedo hacer; llamar al hotel, notificar la situación y que por favor me la envíen por correo a la próxima ciudad. Si la perdí, el proceso va a ser más complicado pero también tiene solución.

Durante una reunión con uno de mis consultores estábamos revisando una de mis presentaciones audiovisuales, me encontraba en la habitación del hotel y nos dimos cuenta a las 11:00 de la noche de que la computadora nueva no tenía el equipo que se requería para hacer la presentación audiovisual. Fue sorprendente cómo reaccionó nuestro consultor, tomó el teléfono celular y llamó muy exaltado a la compañía solicitando la pieza. La joven que atendió le informó que a esa hora no podía ayudarle, mi consultor empezó a hablar fuerte y le dijo que esto era una emergencia, la joven le contesta que esperara un momento y de inmediato se oye una alarma en el teléfono celular avisando que la batería se está agotando. Se puede imaginar a nuestro amigo cómo se puso cuando se le interrumpió la comunicación telefónica por falta de batería.

Tuve que tomar control de la situación y le pregunté cómo se iba a sentir dentro de cinco años sobre esta situación, de momento se rió y le recomendé que alquilara al otro día una computadora para nuestro seminario de fin de semana. Lo que quiero comunicarle es que continuamente estamos expuestos a situaciones difíciles. Lo importante no es lo que nos sucede, lo importante es cómo reaccionamos a lo que sucede. Son miles las personas que han llegado a nuestros seminarios desganados, confundidos, deprimidos, sin fuerzas y cuando aplican nuestras recomendaciones se dan cuenta que ellos no tienen problema, ellos son el problema.

En uno de mis seminarios al finalizar se me acercó un señor como de unos 50 años con sus ojos brillantes y me dijo: "Yo tuve que vender varias cosas en mi casa para poder venir a este seminario pero quiero confesarle que ha sido la mejor inversión que he hecho en mi vida, su entusiasmo era contagioso. Le obsequié una copia del libro "Motivemos a nuestra gente" y le pedí que me mantuviera informado sobre su crecimiento. Estoy trabajando con personas todos los días y es sorprendente la variedad de reacciones que me encuentro en cada ciudad que visito.

La tercera habilidad para administrar su estado emocional es: *la motivación.*

Tener un significado, un por qué, una razón de vivir. El saber qué va a suceder hoy que me enriquece la vida. ¿Con qué estoy comprometido?, ¿de qué me siento orgulloso?, son preguntas que nos dan fuerza, energía y vida. Existen muchas definiciones de motivación, mi definición en muy sencilla:

> Motivación es la fuerza que nos mueve a actuar para conseguir los deseos, los sueños y las metas que queremos alcanzar.

La motivación requiere identificar lo que uno desea, reconocer el valor que tiene lo que uno quiere, identificar y evaluar los obstáculos que se interponen en la consecución de su deseo, buscar soluciones a esos obstáculos sin descansar pensando que mientras más grande sea, mayor oportunidad tendrá para utilizar su potencial y tomar acción hasta alcanzar lo que desea. Para mantenerse motivado se requiere identificar las fuerzas que a usted le mueven, impulsan y levantan porque le dan la energía de seguir adelante.

Cuando a mi se me descargan las baterías, me pregunto: "Oye J.R. ¿Cuáles son tus bendiciones?", y me contesto: "poder levantarme, tener salud, poder respirar, tener una familia maravillosa, tener un trabajo que ayuda a la gente a mejorar su calidad de vida, tener una relación personal con Dios, saber que estoy rodeado de oportunidades". Ese pequeño ejercicio me levanta y me llena de entusiasmo y fuerza. Una persona motivada está llena de fe, de confianza, de seguridad, de determinación y de propósito. Siempre he dicho que tratar de vivir sin motivación es tan difícil como tratar de vivir sin oxígeno lo cual es imposible.

La cuarta habilidad para administrar su estado emocional es: *la empatía.*

Saber entender lo que la otra persona siente. Muchas veces estamos frente a las personas y nos damos cuenta que no se sienten bien porque están pasando por situaciones difíciles. Los estudios confirman que 55% de la comunicación de las personas es la comunicación corporal es decir que las personas se comunican a través de su piel, sus ojos, sus labios y sus expresiones faciales. Si queremos desarrollar nuestra inteligencia emocional tenemos que aprender a leer el vocabulario corporal. Otro punto importante es el tono de voz de la persona. El 38% de la comunicación es el tono de voz. A veces le preguntamos a una persona cómo se encuentra, y nos dice: "Estoy bien", pero en un tono de voz que dice que está deprimida, sin fuerza y sin energía.

Es importante reconocer la diferencia entre simpatía y empatía. Cuando alguien nos cae simpático es que nos agrada, nos cae bien. Sin embargo la empatía significa capacidad para ponerse en los zapatos de la otra persona, el sentir en su ser lo que esta persona está sintiendo. Muchas veces puede ser muy bueno lo que siente la persona porque alcanzó una meta importante y usted se siente como si la victoria fuera suya. Puede ser también todo lo contrario, esta persona perdió su trabajo o un ser querido y usted lo siente como si usted fuera el afectado. A las personas que no sepan leer el vocabulario corporal de sus asociados se les hará muy difícil desarrollar empatía y el no hacerlo les impedirá desarrollar su inteligencia emocional.

La quinta habilidad para desarrollar su inteligencia emocional es: *su habilidad social.*

Es la satisfacción de ayudar a otros. El saber que tenemos la responsabilidad de dar a los demás de lo que tenemos. Es importante saber cuál será nuestra responsabilidad con las futuras generaciones. Preguntarse cómo me gustaría que me recordaran. Usted debe preguntarse por qué le gusta ayudar a otros. Sabemos que ayudando a otros es posible ayudarnos a nosotros mismos y esa es mi experiencia cuando ayudamos a una persona desenfocada, deprimida o preocupada eso nos da fuerza para confirmar que vamos por el camino correcto.

Para concluir este capítulo sería bueno analizar cómo está su inteligencia emocional. Debe preguntarse qué le gustaría cambiar:

- ¿Qué habilidades de su inteligencia son fuertes y cuáles son débiles?
- ¿Qué beneficios va a producir si mejora esas habilidades que son débiles?
- ¿Qué precio le va a costar si no fortalece esas habilidades débiles?
- ¿Qué personas le pueden ayudar a fortalecer esas habilidades? y finalmente
- ¿Qué cambios debo dar para fortalecer mi inteligencia emocional?

Le recomiendo que escriba estas preguntas en un papel y las conteste, puede discutirla con su compañero pero no lo deje de hacer porque de lo contrario no producirá los resultados deseados.

7

Administrando clientes disgustados

Cuando nos dedicamos a servir a nuestros clientes, debemos estar conscientes que nuestra mayor responsabilidad es proveer un servicio de alta calidad. Para esto, debemos estar comprometidos con la excelencia, para dar lo mejor de uno y de su equipo de trabajo, para conseguir la satisfacción y la lealtad de su cliente.

En los días que vivimos donde existe una alta competencia, nuestros clientes tienen mayores oportunidades y muchas veces mejores ofertas a las nuestras. Debemos tener claro que hoy para conseguir la lealtad de un cliente tenemos que hacer más esfuerzo y mayor trabajo para identificar sus necesidades y satisfacerlas. Hoy nuestros clientes están más educados y son más exigentes.

La calidad de su servicio garantiza la vida de su negocio

Los clientes contentos son nuestra mejor campaña de publicidad y los enojados son nuestros peores promotores. Le recomiendo orientar a su equipo de trabajo sobre la importancia de atender bien a sus clientes. Es la mejor garantía para que su negocio tenga muchos promotores hablando del servicio de calidad que usted ofrece.

El primer paso para ofrecer un buen servicio al cliente es saber identificar las necesidades de los mismos. Para eso recomiendo a mis estudiantes del seminario: "¿Cómo ofrecer un buen servicio a sus clientes?", que tengan una persona recibiendo a sus visitantes en sus negocios ofreciendo la bienvenida e identificando qué necesitan.

Es importante identificar la prioridad del visitante porque así vamos directo a ayudarle a satisfacer sus intereses. Pregúntele, ¿cómo amaneció hoy? ¿Le puedo ayudar? ¿Está buscando algo en particular? Su visitante debe entender que usted está en la mejor disposición de ayudarle. En un estudio realizado se identificaron las características de las personas que ofrecen buen servicio:

- Tienen una buena actitud y saben escuchar
- Saben administrar sus pensamientos y sus estados emocionales
- Saben leer el vocabulario corporal que es 55% de la comunicación

El entusiasmo juega un papel muy importante, muchas veces los clientes que recibimos en nuestros negocios están muy tensos y cargados. Usted puede en cuestión de segundos cambiarle el estado emocional a su cliente. Ser convincente, persuasivo, íntegro, flexible y responsable, ayudará a crear un cliente satisfecho, que se convierte en un amigo y un promotor de su negocio. Para ofrecer un buen servicio debemos desarrollar confianza con nuestro cliente y para lograrlo hay que dedicarle tiempo, hay que escuchar e identificar sus necesidades. Diagnostique la verdadera necesidad de su cliente y ofrézcale respuestas genuinas a sus necesidades. Usted está llamado a ser un facilitador, dándole seguimiento a su cliente y enriqueciéndole la vida.

Es vital reconocer la importancia de administrar las quejas de sus clientes. Debe tener una actitud de servicio. Escuche la queja, no reaccione y mantenga la calma. Interrumpa el enojo del cliente con un comentario conciliador. Por ejemplo: "Lamento mucho que no se le haya atendido como usted se lo merece", "voy a tratar de ayudarlo". Enfóquese en la situación y explique cuál es la política de la compañía en estos casos. Trate de ayudar al cliente y procure que se vaya satisfecho. Si no lo puede lograr excúsese y dígale que lamenta mucho no poder hacerlo.

Para poder ofrecer un buen servicio debe tener un buen ambiente de trabajo

Un ambiente saludable produce gente saludable y clientes satisfechos. Hay que tener una buena comunicación con su equipo de trabajo. Todos los departamentos de su negocio ayudan a construir el servicio de calidad. En la unión está la fuerza y la fuerza producirá unidad de propósito y un buen servicio.

Un cliente satisfecho que siente que se le ha servido bien, regresa a nuestro negocio y nos recomienda con sus amigos y familiares. Para desarrollar un servicio de calidad se requiere que usted tenga el compromiso para dar lo mejor de lo suyo, para satisfacer las necesidades del cliente y superar las expectativas que él espera de usted. Para lograr esto debemos tener una actitud positiva hacia el servicio, cuidar la imagen de nuestro negocio y de nuestra persona, conocer las necesidades de nuestros clientes y que ellos sientan que son importantes para nosotros. Recuerde que la calidad de servicio al cliente se va a evaluar en dos niveles:

- Nivel del procedimiento de su sistema de trabajo
- Nivel personal, las relaciones interpersonales con sus clientes.

La política en su negocio para ofrecer calidad de servicio a su cliente debe ser: "Tenemos una sola oportunidad para ofrecer un buen servicio a nuestros clientes, no la perdamos". Las personas que ofrecen buen servicio a sus clientes son recordados por éstos porque:

- Saben escuchar
- Son flexibles
- Les gusta la gente
- Son entusiastas y convincentes
- Tienen una actitud positiva.

Esto hace que desarrollen confianza con sus clientes, identificando sus necesidades. Además, saben ofrecerle respuestas a esas necesidades y el cliente siente que hay un compromiso genuino para servirle.

Debemos dominar las técnicas para comunicarnos efectivamente con nuestros clientes. Es importante hablarle al cliente mirándole fijamente a los ojos, sonriendo, variando el tono de voz y haciendo comentarios que transmitan tranquilidad para que él se sienta relajado y confiado de que va a recibir un buen servicio.

Una de las áreas más sensitivas en nuestras labores es trabajar con clientes disgustados, como mencioné en el capítulo que trata de cómo trabajar con personas difíciles. Estos tienen unas características en común, se quejan de todo, no se sienten aceptados, son difíciles de complacer y muchas veces son egoístas y murmuradores. Nuestro trabajo es aprender a administrar clientes disgustados. Se disgustan porque no le cumplieron lo que le prometieron, sus expectativas no fueron satisfechas y no le atendieron con la rapidez que esperaban. Llegan a nosotros frustrados, tensos y cansados. Lo primero que recomiendo para atender las quejas de un cliente difícil es: no reaccionar, mantenga la calma y haga un comentario conciliador. Interrumpa el enojo del cliente haciendo un comentario jocoso y hable de la solución a su problema. Explique la política de la compañía referente a ese problema. Trate hasta donde le sea posible que el cliente salga satisfecho de su negocio.

Para calmar a un cliente disgustado tenemos que ser flexibles, comuníquele que usted está dispuesto a ayudarle. Consiga toda la información referente al cliente, demuéstrele que usted aprecia su patrocinio. Ofrézcale disculpas por esta situación adversa y explique las opciones disponibles para resolver el problema. Deseo ofrecerle una recomendación para mejorar la calidad de servicio a sus clientes:

- Prepárese más
- Amplíe sus conocimientos
- Lea libros referentes al tema
- Participe en seminarios
- Establezca sistemas para evaluar la calidad de sus servicios.
- Conozca a sus clientes y haga más que su competencia ¡hágalo mejor!

Recuerde que la calidad de servicio que usted ofreció en los años pasados, es el resultado que hoy está consiguiendo en su negocio. La calidad de servicio que usted ofrezca hoy garantizará el futuro de su negocio.

Para producir cambio en el servicio a los clientes tenemos que estar comprometidos a servir. La motivación a servir bien es esa fuerza que nos mueve a realizar nuestro trabajo con calidad. Cuando queremos hacer algo en la vida es por que tiene valor para nosotros. ¿Qué valores le motivan a servir bien? Los valores son las cosas más importantes que usted tiene para ofrecer un buen servicio. Por ejemplo:

- La satisfacción de tener un cliente satisfecho
- Su trabajo
- La libertad
- El dinero.

La mayor dificultad que he encontrado es que las personas no tienen claramente definidos sus valores. ¿Qué significado tiene ofrecer un buen servicio? ¿Cómo le ha ayudado su trabajo a crecer? Las personas están trabajando toda una vida estableciendo objetivos sin definir antes lo que tiene valor en su vida, alcanzan muchas veces estos objetivos y no se sienten realizadas porque sus valores no están claramente definidos. Tenemos que identificar los valores que nos motivan a servir bien para entonces producir estados emocionales que nos van a permitir dar lo mejor de lo nuestro para servir bien.

Debemos preguntarnos: ¿Cuáles son los sentimientos que me gustaría experimentar cuando estoy atendiendo a un cliente? Es importante establecer una jerarquía de valores para ofrecer un buen servicio, porque ésta va a controlar la forma en que actuemos con el cliente y para que tomemos decisiones de calidad para ofrecer un servicio de excelencia. Es importante que usted conozca sus valores pero más importante aún es que usted conozca los valores de sus clientes, esto le va a permitir comprenderlos mejor y desarrollar una mejor calidad en el servicio.

Sería bueno identificar las cosas buenas que usted está haciendo hoy en su trabajo. ¿Qué cosas le motivan a ofrecer un buen servicio? Defina cuáles son las cinco cosas más importantes de su trabajo. Puede ser que sean sus compañeros, los clientes, el crecimiento profesional, el dinero que recibe por su trabajo o la satisfacción de ver un cliente satisfecho. Usted definirá cuáles son las cosas que lo motivan. La calidad de su servicio va a estar basada en la calidad de sus valores y sus propósitos. Las decisiones que usted tome van a impactar la calidad de servicio que usted ofrezca a sus clientes.

Es importante identificar también las cosas que nos sabotean y nos quitan fuerzas. Puede ser que sean emociones como la depresión, la humillación, el sentido de culpabilidad, la soledad, la frustración y el rechazo. Muchas veces no logramos un buen servicio a nuestros clientes porque no sabemos enfrentarnos a estos estados emocionales negativos que nos quitan fuerza. Hagamos una lista de cuáles son las cosas que nos quitan fuerzas y se dará cuenta que podemos aprender a vencerlas.

Mi trabajo me permite compartir con muchas personas, una de las cosas que más le quita fuerza a la gente es la depresión. Esta puede afectar a cualquier persona sin importar su raza, su edad, su religión o su condición social. Cada año en Estados Unidos se reconoce que cerca de 20 millones de americanos sufren de depresión. Cerca de 7% de la población sufre de síntomas de depresión en algún momento de su vida. El reporte dice que la mujer es dos veces más susceptible a la depresión que el hombre. ¿Cuáles son los síntomas de la depresión?

- La persona puede sentir mucho enojo y llora con facilidad

- No puede dormir fácilmente

- Pierde el interés por las cosas que frecuentemente disfrutaba

- Se siente cansado y no tiene fuerzas para hacer sus actividades Piensa que no sirve para nada y se siente fracasado
- Pierde el deseo de vivir.

Qué puede causar la depresión

La depresión puede ser causada por una combinación de factores tanto internos como externos. Científicamente se confirma que la persona sufre de unos cambios químicos en su cerebro, afectando las células de éste, creando un desbalance y desarrollando la depresión. Pueden existir otras causas como: Enfermedades, cáncer, ataque al corazón, problemas de las tiroides, abuso del alcohol, uso de drogas, problemas económicos, legales, ajustes de la jubilación, pérdidas del empleo, problemas familiares, divorcio, pérdida de un ser querido y otros.

¿Cómo puede ayudarse usted para vencer la depresión?

- Reúnase con personas que enriquezcan su vida
- Si continúa la depresión puede visitar a su doctor
- Cambie el enfoque de las situaciones que está viviendo
- Pregúntese: ¿Todavía no soy perfecto? ¿Qué puedo aprender de esta experiencia? ¿Qué cosa positiva puede tener este problema? ¿Qué cambios debo dar para superar esta situación que me está afectando?

¿Qué puedo hacer para cambiar las cosas?

- Haga ejercicios
- Aliméntese bien
- Duerma y descanse

- Lea libros de inspiración, como la Biblia
- Asista a seminarios de desarrollo personal
- Viva un día a la vez, enfóquese en el día de hoy
- Tome la decisión de vivir una vida mejor
- Decida sentirse mejor en cada minuto

Recuerde que Dios no nos ha dado espíritu de cobardía, sino de poder, de amor y de dominio propio.

Cuando se deprime, muchas veces usted mismo ha creado la depresión y cuesta el mismo trabajo sentirse deprimido que producir un estado de felicidad. La persona deprimida enfoca toda su energía mental para ver su vida de una manera particular. Se hace preguntas que lo sabotean. Se visualiza de una manera en particular y asume una postura en su cuerpo.

Por ejemplo, cuando usted ve una persona deprimida tiene sus hombros caídos, su mirada hacia el piso, habla con un tono de voz sin fuerza y con tristeza. Muchas veces tienen una dieta incorrecta, pasan horas y días encerrados dentro de sí mismos, pensando en los problemas que tienen que enfrentar enfocando todo su potencial en las dificultades. La verdad es que se necesita un gran esfuerzo para estar deprimido, la calidad de la comunicación de la persona consigo misma es muy pobre.

Podemos cambiar nuestro estado emocional de depresión a felicidad en sólo 30 segundos si aprendemos a cambiar nuestra visión de nosotros mismos, si aprendemos a comunicarnos con nosotros. Haciéndonos preguntas por ejemplo:

- ¿Qué me hace feliz hoy?
- ¿Qué cosas grandes he logrado en mi vida?

- ¿De qué me siento orgulloso?
- ¿En qué persona me quiero convertir?
- ¿Qué personas me enriquecen la vida?

Contestando estas preguntas usted le está dando instrucciones a su sistema nervioso para que se ponga a visualizar y se enfoque en las cosas que le dan fuerzas, le enriquecen su vida, le llenan de energías y le permiten cambiar la perspectiva de ella. Revise como está su tono de voz, su respiración, el movimiento de su cuerpo y empiece a moverse con energía pensando que usted tiene todos los requisitos para tener éxito y ofrecer un buen servicio.

Podemos concluir que hay estados emocionales que le dan fuerzas como éstos: La confianza, el amor, la seguridad interna, la alegría, la fe. Todos ellos producen una fuerza inagotable que utilizados correctamente pueden ayudarle a mejorar su calidad de vida. Hay también estados emocionales que paralizan a sus clientes, como lo son la confusión, la depresión, el miedo, la angustia, la tristeza, la frustración que les hacen verse insuficientes, impotentes y sin fuerzas. Es vital comprender que los estados emocionales de sus clientes son las fuerzas para producir un cambio en su actitud y poder mejorar su estado emocional. Siempre he dicho que la conducta de los clientes tiene una relación directa con el estado emocional en que se encuentran. Necesitamos ayudar a nuestros clientes a que aprendan a cambiar sus estados emocionales, y a educar su sistema nervioso para que puedan crear estados dinámicos y estimulantes para superar sus adversidades.

La visión que usted tiene de sí mismo, de su familia, de su comunidad y de su país determina cómo reaccionará cuando se encuentre frustrado y deprimido porque no ha conseguido los resultados que deseaba. Esa visión nos da la fuerza, la energía, la creatividad, la perseverancia y la fe para seguir luchando hasta conseguir los resultados que deseamos.

La fe es la convicción de ver realizado lo que aún no está hecho, es un elemento indispensable para seguir luchando y recuperar las fuerzas cuando nos encontramos frente a las adversidades. La perseverancia es el hábito de seguir luchando hasta conseguir la meta que se ha propuesto. Si usted se cae siete veces levántese ocho, si le falla su gente continúe buscando alternativas hasta conseguir la fórmula para alcanzar sus metas.

Hemos sido condicionados a rendirnos en el primer obstáculo que nos encontramos. Cambiamos de rumbo de metas y de visión porque muchas veces nos domina un sentimiento de derrota y pensamos que no podemos llegar a nuestra meta.

Cómo podemos vencer, cambiar ese espíritu de derrota, de desaliento o pesimismo que a veces nos ataca o ataca a nuestros clientes

De la misma manera que nos bañamos diariamente, comemos, descansamos y nos cambiamos de ropa; necesitamos cambiar los pensamientos negativos que nos oprimen y nos hacen ver derrotados. Hay que buscar la dirección de Dios y reconocer la autoridad que tenemos por ser hijos suyos. Es importante que se hable a sí mismo, que se vea, se sienta, se comporte y respire en la tranquilidad y la paz que produce el Espíritu de Dios ya que son las herramienta más poderosa para cambiar la derrota en victoria. Para mantenerse en pie de lucha y en victoria tiene que controlar su imaginación, su creatividad y su entusiasmo para buscar alternativas que le permitan conseguir soluciones.

Recuerde que mientras más grande sea el problema que tenga que enfrentar, mayor oportunidad tendrá para utilizar el potencial que Dios le ha dado. "*Manténgase en pie de lucha y en victoria*".

Dejaremos de enfocarnos en las cosas negativas una vez que tengamos claro que estos estados emocionales negativos los estamos produciendo nosotros y podemos controlarlos. Tenemos que tener conciencia de cuáles son las cosas que nos motivan para poder dar un buen servicio. Lo que hacemos en nuestro trabajo nos produce estados emocionales que nos motivan a ofrecer un servicio de calidad.

Es importante reconocer también cuáles son las situaciones negativas que nos impiden lograr un buen servicio. Podemos tomar la decisión de identificar cuáles son los valores que queremos desarrollar para poder mejorar el servicio a nuestros clientes. Puede ser que se esté preguntando: ¿Cómo puedo identificar los valores para mejorar la calidad de mi servicio? Esta es una pregunta muy sencilla de contestar, consígase una hoja de papel y un lápiz y conteste esta pregunta: ¿Qué es lo más importante que usted tiene que ofrecerle a sus clientes?

La verdad es que cuando usted tiene su lista de valores que fortalecen su servicio al cliente empieza a conocerse, a visualizar las cosas buenas que tiene su trabajo y a identificar las cosas que hay que mejorar en el área de su servicio. Desarrollará una actitud positiva que producirá un balance en su trabajo de tal manera que puede tomar decisiones de calidad y puede empezar a producir un cambio profundo en su deseo de ofrecer un mejor servicio.

Para producir un cambio profundo tenemos que producir un cambio en nuestros valores

Es importante recordar que las personas que han logrado hacer historia en la vida han tenido un compromiso absoluto con su visión, sus objetivos y sus valores. Tenemos que condicionar nuestro sistema nervioso a ofrecer un buen servicio, tener conciencia que nuestra calidad de servicio, va a mejorar una vez que eliminemos los valores que nos sabotean.

Para eso debemos identificar los beneficios que le aporta cada uno de sus valores en su trabajo. Por ejemplo: mi trabajo me produce una satisfacción extraordinaria porque tengo la capacidad de transmitir, comunicar y producir cambios en las actitudes de las personas. Cuando uno está consciente de que lo que hace es importante, automáticamente empezamos a cambiar dentro de nosotros la forma de valorizar nuestro trabajo y empezamos a definir qué valores necesito tener para convertirme en un buen servidor.

Quiero recomendarle que usted identifique su meta máxima en cuanto a mejorar sus servicios. Lo máximo que a usted le gustaría realizar en su trabajo o negocio. Si hoy usted se tuviera que ir de este mundo realmente cuál sería el objetivo máximo que le hubiera gustado alcanzar en su negocio. ¿Cuáles son las cosas que le gustaría hacer en su trabajo para mejorar el servicio y qué acción usted tiene que tomar hoy para establecer las prioridades en su servicio al cliente?

Identifique cuáles son sus valores actuales. Anótelos por orden de importancia. Esto le ayudará a localizar los valores que le motivan e identificar los valores que le quitan fuerzas. Esto le permitirá conocer y comprender por qué usted hace lo que hace. Las preguntas clave son:

- ¿Cuáles tendrían que ser mis valores para poder ofrecer un mejor servicio?
- ¿Qué tipo de persona tendría que ser para poder desarrollar el tipo de servicio a que aspiro?
- ¿Cuáles tienen que ser mis valores para ser un mejor servidor?
- ¿Qué valores tengo que eliminar y qué valores tengo que añadir para aumentar mi productividad?

Esto le ayudará a producir una transformación en la forma de verse, de comportarse y de relacionarse con otras personas. Hay un mensaje que dice: "Somos el resultado de las decisiones que tomamos". Los resultados van a depender de las decisiones que usted tome hoy, no podemos culpar a nadie por los resultados que producimos en nuestra vida. Tenemos que asumir responsabilidad por los resultados que hemos conseguido en nuestra vida.

8

Desarrollando un liderazgo de servicio

Para ofrecer un buen servicio hay que ser líder. Hay distintos tipos de líderes de servicio. Están los líderes por convicción, que debido a la trayectoria de su servicio, los resultados alcanzados y el servicio que han ofrecido por varios años se han ganado la confianza de sus clientes. Por ejemplo: La Coca Cola, es una bebida que se consume alrededor del mundo.

Hay líderes que a pesar de que llevan poco tiempo en el mercado son líderes en sus industrias. El caso de YAHOO o AOL son compañías que ofrecen servicio de Internet con menos de diez años en el mercado, pero sus acciones sobrepasan el valor de los cien dólares por cada una en Estados Unidos. Estas son compañías jóvenes pero por el resultado que han alcanzado y el servicio que han ofrecido tienen una posición de liderato.

Están los líderes por nombramiento. Por ejemplo: para poder sacar la licencia para conducir mi automóvil tengo que visitar una oficina del gobierno que es la que regula las licencias de los automóviles y las suple para poder conducir en las calles. Este servicio no lo puedo conseguir en una farmacia o en una estación de gasolina porque la autoridad para emitir licencias ha sido delegada por una ley a esta oficina. El problema de este tipo de servicio es que hay una sola opción y esperamos que esta oficina ofrezca un buen servicio porque de lo contrario no tenemos a donde ir para sacar nuestra licencia.

Los cambios en el siglo XXI están llevando al consumidor a estar más orientado y más educado sobre las alternativas que hay disponibles en el mercado para resolver sus problemas. Lo que quiere decir que el cliente será más exigente. Las organizaciones tendrán que preparar más a sus asociados para poder competir y conseguir la confianza de sus clientes.

Un líder exitoso en el área de servicio tiene un propósito definido en su empresa: "Cómo servir bien". Sabe cuál es su misión, tiene el compromiso y la disciplina para trabajar arduamente y suplir las necesidades de sus clientes. Para ser líder en el mercado debemos inspirar confianza en nuestros clientes, tener conocimiento del servicio que ofrecemos, inspirar y motivar a nuestro equipo de trabajo para que se comprometa a dar lo mejor y así ofrecer un buen servicio. Hay que tener la capacidad de tomar decisiones con rapidez para poder garantizar las expectativas que tienen nuestros clientes.

El líder de servicio debe ser un excelente comunicador. No solamente se comunica con su gente, sino entrena a su equipo de trabajo para que ellos también sean comunicadores efectivos. Para lograr esto debemos identificar los intereses de nuestros clientes, desarrollando una química donde el cliente se sienta cómodo y reciba una atención genuina y transparente que le permita recibir el servicio que aspira.

Existen líderes proactivos y líderes reactivos.

Proactivos	Reactivos
Es parte de la solución	Parte del problema
Tiene un plan de acción	Siempre tiene una excusa
Dice "déjame ayudarte"	Dice "ese no es mi trabajo"
Ve oportunidades	Ve solo problemas
Se enfoca en las soluciones	Se enfoca en los problemas
Sabe reconocer sus errores	No sabe asumir responsabilidad

El líder efectivo sabe persuadir y motivar a sus asociados. Sabe escuchar y aprende de las experiencias diarias, diagnostica las situaciones y busca soluciones para evitar que se conviertan en crisis. Establece los objetivos y trabaja para alcanzarlos, consigue que las ideas se pongan en acción para obtener los resultados deseados.

Un análisis de las características del líder efectivo

1. *Es íntegro:* Significa que no se divide, que sabe que no puede complacer a todo el mundo pero que sus decisiones van enfocadas a conseguir los resultados deseados en beneficio de la mayoría de sus clientes.

2. *Se compromete:* Cuando dice que lo va a hacer lo hace. Se enfoca en el trabajo. Le gustan los desafíos y toma decisiones pensando en el resultado final. No puede ver la derrota, no puede ver el por qué no se pueden hacer las cosas, sino que está enfocado en la victoria y en el precio que hay que pagar para alcanzar el objetivo.

3. *Es creativo:* Sabe buscar la vuelta a la adversidad. Se enfoca en cómo le gustaría que fueran las cosas. Sabe que si los resultados que está consiguiendo no son los mejores es porque existe otra forma de hacer las cosas. Sabe relajarse porque cuando lo hace, su creatividad se multiplica.

4. *Es flexible:* Si no consigue los resultados que esperaba sabe que todo tiene su tiempo, que todo obra para bien y el no conseguir el resultado hoy no significa que mañana no tendremos otra oportunidad. La flexibilidad es una de las herramientas más poderosas para evitar la ansiedad, el estrés y las frustraciones.

5. *Es entusiasta:* Sabe crear entusiasmo en él y en sus asociados. Comparte sus ideas, sus sueños y se enfoca en los resultados que vienen en camino. Toma decisiones pensando en la victoria que alcanzará, sabe lo que quiere, tiene el conocimiento para hacerlo, toma acción y es perseverante. Lo

importante no es las veces que ha fallado, sino las veces que se ha levantado ante la adversidad.

6. *Es determinado:* Está enfocado, sabe que la adversidad es temporal. Tiene el hábito de seguir luchando hasta alcanzar su objetivo. Su perseverancia es un motor que no se detiene, mientras otros hablan de problemas, él habla de soluciones. Su mapa mental va dirigido a la meta, se pregunta: ¿Cómo puedo superar estos obstáculos? ¿Quién ha superado estas adversidades? ¿Quién me puede ayudar?

7. *Es enérgico:* Se alimenta bien, descansa, hace ejercicios y se mueve y habla con energía. En su comunicación corporal no se puede leer inseguridad, o falta de confianza. Es un torpedo que va directo a su objetivo. Recarga las baterías de los que se le acercan y transmite convicción de que vamos por el camino correcto.

8. *Es empático:* Sabe cómo se siente la gente, le gusta enseñar y aconsejar. Está consciente que su éxito tiene una relación directa con el éxito de sus asociados. Su mayor responsabilidad es convertirse en un facilitador. Su empatía hace que sus clientes se sientan cómodos con él. Esto le permitirá ofrecer un mejor servicio.

Podemos concluir que un líder de servicio tiene la capacidad de ser proactivo y de responderle a sus clientes con rapidez, con sus conocimientos, experiencias, habilidades y recursos para garantizar un buen servicio. El líder para ofrecer un buen servicio debe ser un buen vendedor. Tiene la capacidad de motivar, entusiasmar y persuadir a sus clientes sobre los beneficios que ofrece su producto y su compromiso de dar un buen servicio para que ese cliente continúe dándole su patrocinio.

Para ofrecer un buen servicio debemos escuchar y observar todo el tiempo. Diagnosticando las necesidades de sus clientes e identificando soluciones, implementándolas para producir buenos resultados. Podemos concluir que su mensaje y su servicio será uno consistente y con mucha repetición para poder conseguir clientes leales.

Para economizar tiempo debemos identificar si el cliente está calificado para usar su servicio. Podemos hacerle varias preguntas para lograr esto.

1. ¿Qué quiere el cliente?
2. ¿Qué necesita el cliente?
3. ¿Para cuándo lo necesita?
4. ¿Cuál es su capacidad económica?
5. ¿Tiene capacidad para tomar decisiones?

La primera pregunta que debemos contestar sería: ¿Qué es un líder de servicio? Lo defino como una persona que motiva a otros porque sabe servir y sabe motivarse a sí mismo, es una persona que logra que las ideas, los pensamientos y los sentimientos de sus clientes se conviertan en acción. Es aquel que levanta el espíritu y motiva a sus clientes a tomar acción para conseguir los resultados deseados. Es una persona que tiene una visión establecida, la gente le sigue porque cree en esa visión.

Ese líder tiene la capacidad de comunicarse en una forma efectiva y modela los cambios que se requieren para convertir lo invisible en visible, lo difícil en fácil y lo imposible en posible. Para ser un líder efectivo hay que cumplir con algunos requisitos. Hay que conocer a sus clientes, a sus asociados, conocer sus valores, sus creencias, sus fortalezas y sus debilidades. El líder tiene que saber gobernar sus estados emocionales para que pueda ayudar a sus colaboradores a administrar los de ellos. Es un experto quitándole fuerza a las cosas negativas. No negándolas, aceptándolas, pero enfocándose en qué cosas buenas puede traer esta adversidad: ¿Qué podemos aprender de esta situación? ¿Quién nos puede ayudar a resolver este problema?

¿Qué cambio debemos dar para que esto no nos vuelva a suceder?

El líder conoce las creencias que le dan fuerza y las creencias que le debilitan. Sabe cómo ayudar a sus clientes a cambiar las creencias que lo debilitan. Creo que este es uno de los retos más importantes: conocer las creencias de las personas que nos rodean. Muchas veces nuestros mayores obstáculos no son la adversidad en sí, sino la creencia que tenemos de que no podemos resolver esa adversidad. El líder efectivo sabe cambiar el estado emocional de depresión en felicidad.

Escribí un articulo hace unos años que lo titulé: "Requiere el mismo trabajo deprimirse que sentirse feliz". Cuando una persona está deprimida pone toda su energía mental en una situación en particular, se enfoca en la adversidad, no puede ver la solución del problema porque se enfoca y visualiza la adversidad con tanta claridad que no puede ver opciones, solamente puede ver el problema. Cuando observo una persona deprimida la puedo percibir en los primeros 30 segundos. Su cuerpo me transmite malestar, tristeza, angustia, sus hombros están caídos, habla con un tono de voz sin energía y a pesar de que está frente a mí se encuentra atrapado por el problema. Se puede comparar con una mosca que fue atrapada en un vaso de cristal. La mosca empieza a dar vueltas queriendo salir, lo ve todo claro pero no encuentra la salida.

Muchas veces eso nos pasa a nosotros. Estamos rodeados de bendiciones pero lo único que vemos son los problemas. Podemos cambiar nuestro estado de depresión a felicidad en pocos segundos, si creamos conciencia y aprendemos a cambiar la visión de nosotros mismos. Para hacer esto no es necesario ser muy inteligente ni tener un título universitario.

Lo comparo con el trabajo de un director de películas que para producir estados emocionales en sus actores manipula y controla varios efectos de los que usted oye y ve, para impactar su estado emocional. Si desea asustarlo aumenta el volumen de la música, desarrolla efectos de sonido, aumenta o disminuye la iluminación y en cuestión de segundos crea estados emocionales que pueden ser de felicidad, de paz, de alegría o pueden ser estados emocionales llenos de miedo, tensión e inseguridad.

Usted puede hacer lo mismo con su estado emocional, añadiéndole fuerza a los trescientos pensamientos por minutos que produce y eliminando los pensamientos negativos que le quitan fuerza, que le roban su sueño y su energía. El líder tiene que saber controlarse y aprender a mantenerse en dieta mental. Esta ha sido una de las herramientas que he compartido con más de 250 mil personas en mis seminarios y muy pocas personas me han dicho que no funciona.

El objetivo de esta herramienta es que usted esté enfocado durante diez días en las cosas que le dan fuerza, en las victorias que usted ha conseguido, en las personas que le enriquecen su vida. Durante estos diez días usted no debe pasar más de dos minutos en una situación negativa, porque de hacerlo tendría que comenzar de nuevo la dieta mental desde el primer día.

Una de las partes más interesantes de esta dieta es que al comenzar el día mientras se prepara para salir a trabajar se hace unas preguntas para enfocarse en las cosas que le dan fuerzas, por ejemplo:

- ¿Qué me hace feliz hoy?
- ¿Qué cosas buenas van a suceder hoy?
- ¿Qué personas enriquecen mi vida?
- ¿Con qué estoy comprometido?
- ¿De qué me siento orgulloso?

Es muy divertido porque en fracciones de segundos su sistema nervioso recibe instrucciones para enfocarse en las cosas que le dan fuerzas, las situaciones que le enriquecen. Cuando uno se enfoca en las cosas buenas es muy difícil enfocarse en la adversidad, ya que Dios nos dio un sistema que cuando nos enfocamos en una cosa, es muy difícil enfocarnos en otra a la misma vez porque nos confundimos.

El líder tiene que reconocer cuáles son los estados emocionales que le dan fuerza a sus clientes

Se ha comprobado que la confianza, el respeto, la alegría, la fe y la seguridad producen fuerzas poderosas que ayudan a las personas a mejorar su calidad de vida y a hacer el trabajo con satisfacción. El líder tiene la responsabilidad de ayudar a sus clientes a salir de los estados emocionales que les paralizan.

Acostumbro a usar una pregunta cuando voy a comenzar mis reuniones o me encuentro con un cliente. Esta pregunta me ha ayudado a cambiar el estado emocional de la persona en fracciones de segundos. La pregunta es: ¿Qué cosas buenas están pasando? No les pregunto como están las cosas, porque si lo hago le estoy dando permiso para que me hablen de sus problemas, de sus depresiones, del miedo, de la angustia, la tristeza, la frustración, del enojo y de su insuficiencia. Hay que reconocer que por cada minuto negativo que pasamos necesitamos once minutos positivos para volver a la normalidad y si llevamos ocho o diez años negativos necesitamos un milagro de Dios para volver a la normalidad.

El líder efectivo entiende que los estados emocionales son una herramienta importante para producir un cambio profundo en las vidas de sus clientes y en la calidad de trabajo que ellos realicen. Entiende que la conducta de sus clientes y los resultados que producen en su trabajo tienen una relación directa con los estados emocionales en que se encuentran. Para ser un líder de servicio efectivo necesitamos ayudar a nuestros clientes a que aprendan a cambiar sus estados emocionales y a educar su sistema nervioso a fin de que asuman la responsabilidad de crear estados dinámicos y estimulantes que cambiarán su estilo de vida y su calidad de trabajo.

El líder efectivo es proactivo y se enfoca en la solución y no en los problemas. Siempre tiene un plan de acción y sabe que las excusas satisfacen solamente al que las da y debilita el carácter del que las acepta. Sabe reconocer sus errores ya que no saber asumir responsabilidad por ellos es lastimar su liderazgo.

Es importante desarrollar nuestro liderato a través del desarrollo de nuestros clientes y lo hacemos cuando los capacitamos. Cuando les enseñamos cómo hacer las cosas, y les inspiramos entusiasmo por nuestros proyectos, creando un espíritu de unidad porque sabemos que juntos y unidos podemos hacer más.

Existen tres tipos de personas:

- Los *seguidores,* que muchas veces no tienen una visión establecida y si la tienen nunca la desarrollan.
- Los *realizadores* que tienen una visión y trabajan para realizarla.
- Los *visionarios*, los que tienen una visión, la desarrollan y consiguen que otros le ayuden para duplicarla en otras personas.

Esto quiere decir que el líder está en un crecimiento continuo. Ese crecimiento del líder podemos dividirlo en cinco niveles:

1. *El líder por nombramiento:* Es cuando la persona es nombrada en una posición. Muchas veces no hay una persona que asuma el liderato y el grupo piensa que esa persona es el mejor candidato. Puede ser también

que sea elegido como lo es un gobernador, un presidente de una empresa o el presidente de la asociación de padres y maestros. Esta persona tiene una capacidad y ha recibido un nombramiento. Se entiende que tiene el talento, los conocimientos y la capacidad para dirigir.

2. *El líder por carisma:* Es el líder que consigue que la gente le siga voluntariamente. En mi caso personal uno de mis hijos, Pablo José, tiene un carisma contagioso, recientemente lo acompañé a la escuela donde estudia y pude ver su liderato en acción. En cada pasillo me encontraba amigos que lo saludaban y lo reconocían. El carisma es algo natural que viene con la persona, está ligado al carácter. Regularmente la persona de carácter influyente es una persona alegre, simpática, transmite confianza y la gente la sigue voluntariamente. Todos tenemos la capacidad de desarrollarla.

3. *El líder por resultados:* El líder que dirige por modelaje, habla de lo que hay que hacer y también lo hace. Es la persona que se enfoca en lo que hay que hacer para conseguir los resultados deseados. Regularmente son personas exigentes, enfocan su tiempo en las prioridades y toman decisiones pensando en el resultado final, en el objetivo que quieren realizar. Muchas veces son personas autocráticas que cuando ven que el grupo no responde dan un golpe de estado, alzan su tono de voz, dan un golpe sobre la mesa y dicen: "Eso es lo que se va a hacer y se acabó el evento".

4. *El líder por duplicación:* Es el líder maduro con vasta experiencia que ha logrado duplicar su carácter, su cultura y su filosofía en otros. La gente lo sigue y lo apoya porque hay un modelo y un sistema que seguir. Sus colaboradores tienen fe en él, confianza, porque

tiene la experiencia necesaria y los resultados que se han conseguido producen la creencia de que estamos en buenas manos, que hay un buen equipo de trabajo. El apoyar este esfuerzo producirá un beneficio para todos. Los líderes que crecen son los que se duplican, son los que tienen la capacidad de retirarse y sus proyectos continúan funcionando.

5. *El líder por convicción:* Es el líder que ha creado una trayectoria y unos resultados, que se le sigue por lo que es y por lo que representa. Podría ser el caso de Walt Disney que a pesar de que se fue a la quiebra siete veces, fue a más de 350 bancos para conseguir un préstamo para hacer su primer parque y se lo negaron. Lo botaron de un periódico por falta de creatividad y a pesar de todas estas adversidades, hoy es reconocido como un genio del entretenimiento. Convirtió una zona pantanosa en el área central de la Florida en el centro turístico más grande del mundo. Quién podría pensar en 1960 que en unos pantanos donde lo único que había eran naranjas, vaqueros, agricultores y cocodrilos, hoy veríamos urbanizaciones, centros comerciales y parques de diversión. Lo visitan más de 50 millones de personas al año. Durante los últimos diez años que he vivido en Orlando, Florida, he visto a un pequeño pueblo transformarse en una ciudad cosmopolita, donde nuestras escuelas tienen estudiantes que representan más de 60 naciones. Donde nuestros estudiantes no solamente estudian inglés sino también español y japonés.

Es divertido poder identificar líderes de convicción que convierten las cosas insignificantes en grandes proyectos y quedan en la historia como modelos para inspirar a otros a convertirse en líderes efectivos. El líder efectivo sabe desarrollar confianza en sus clientes, saca tiempo para escucharlos, conoce sus necesidades, sus problemas y ofrece respuestas a esas necesidades.

Es una persona transparente que cuando tiene que decir no, no le da vuelta al asunto. Por eso sus clientes le respetan porque está comprometido con la verdad y la verdad lo hace libre y produce confianza. Acepta a sus clientes como son, no trata de cambiarlos sino se convierte en un facilitador demostrando interés genuino en ellos.

El líder efectivo aprende a leer los sentimientos de las personas, es sensible a las necesidades, ofrece un apoyo genuino y entiende que el crecimiento de la gente es su mayor garantía para tener éxito. Ve a sus asociados como amigos y sabe que las destrezas del grupo va a determinar el éxito, por eso apoya a su equipo, se concentra en los puntos fuertes de cada uno y reconoce que solo existen ganadores.

Para lograr esto el líder tiene que convertirse en un agente de cambios y para eso tiene que ser un excelente vendedor de ideas, de conceptos y filosofías. Existen cientos de ejemplos de cambios que en un momento no fueron aceptados y que hoy los resultados producen confianza ya que existe un espíritu de realización y la convicción de que ése fue un buen cambio.

El líder efectivo es un agente de cambios. Para eso tiene que tener fe en sus proyectos, reconocer sus fortalezas y sus debilidades, tambié debe realizar un inventario de los talentos y habilidades de su equipo de trabajo. Establecer los resultados que desea alcanzar, qué beneficios producirán estos resultados, que obstáculos hay que superar, qué creencias debemos cambiar para fortalecer a nuestro equipo de trabajo y qué recursos nos hacen falta para conseguir lo que aspiramos.

El líder como agente de cambio debe tener una guía para poder vender los cambios que quiere realizar y conseguir que su gente lo apoye en este proceso. Hay siete preguntas que debemos contestar para conseguir que nuestra gente nos apoye en ese proceso de cambio:

1. ¿Este cambio que queremos realizar va a beneficiar al grupo, a la compañía, a la asociación o a los clientes? Dentro de esa pregunta podemos contestar seis preguntas:
    a. ¿Qué es lo que queremos y por qué?
    b. ¿Para cuándo lo queremos?
    c. ¿Qué significa si lo logramos?
    d. ¿Qué nos impide tenerlo ahora?
    e. ¿Cómo podemos superar estos obstáculos?
    f. ¿Quién nos puede ayudar?
2. ¿Estos cambios son compatibles con los valores, las creencias, la filosofía y los objetivos de nuestra organización o nuestro grupo? Para esto tendríamos que definir:
    a. ¿Cuáles son los valores que dirigen nuestra organización?
    b. ¿Cuál es la misión y la visión de nuestra organización?
    c. ¿Cuáles son los objetivos a corto y a largo plazo?
    d. Si repetimos lo que hicimos los pasados cinco años, ¿cuáles serán los resultados que tendremos los próximos 5 años?
3. ¿Contamos con los recursos para producir el cambio?
    a. Recursos humanos
    b. Recursos económicos
    c. Tiempo
    d. Equipo

e. Tecnología

4. ¿Es posible probar el cambio antes de comprometerse con él?
   a. ¿Quién ha logrado este cambio antes?
   b. ¿Qué experiencia han tenido?
   c. ¿Quién de nuestro grupo puede hacer una prueba?
   d. ¿Qué tiempo nos tomaría hacer esta prueba?
5. ¿Este cambio producirá los beneficios que deseamos?
   a. ¿Qué beneficios queremos?
   b. ¿Cuánto nos va a costar?
   c. ¿Cuánto nos va a economizar?
   d. ¿Cómo nos va a ayudar a alcanzar los objetivos?
6. ¿Contamos con el liderazgo para poder llevar a cabo este cambio?
   a. ¿Contamos con el equipo de trabajo?
   b. ¿Cómo lo vamos a evaluar?
   c. De no conseguir los resultados deseados, ¿cuánto nos va a costar?
   d. ¿Existe el compromiso con el proyecto?
7. ¿Este será el tiempo apropiado para realizar el cambio?
   a. ¿Existen las condiciones adecuadas?
   b. ¿El grupo cree en el proyecto?
   c. ¿La situación política es favorable?

d. ¿La situación atmosférica es la correcta?

e. ¿El grupo está preparado, emocional, intelectual y tecnológicamente?

Saber gobernar sus estados emocionales

Otro punto importante para ser líder es saber gobernar sus estados emocionales. A las personas le han enseñado a leer, a escribir, a practicar un deporte, a trabajar con una computadora pero no le han enseñado a administrar sus estados emocionales. La persona cuando se levanta por la mañana comienza a hablarse y produce cientos de pensamientos por minuto que afectan su estado emocional. Por ejemplo, puede pensar: "hoy tengo que atender este cliente que es tan difícil". (Porque es un cliente exigente, perfeccionista y difícil de complacer). Automáticamente ese pensamiento reactiva todas las experiencias negativas que ha tenido con este cliente y su estado emocional se afecta de inmediato comenzando el día.

Una de las herramientas que el líder debe implementar es saber quitarle fuerza a las cosas negativas. Para lograr esto le recomiendo que se haga unas preguntas.

1. ¿Qué puedo aprender de esta situación?
2. ¿Qué creencia debo cambiar para resolver este problema?
3. ¿Qué cosas positivas puede traer esta situación?
4. ¿Quién me puede ayudar a resolver este problema?
5. ¿Qué es lo más malo que me puede suceder si no resuelvo el problema?
6. ¿Qué estoy dispuesto a hacer para que este problema no afecte mi estado emocional?

Una de las recomendaciones que quiero darle, es la dieta mental. Este es un ejercicio que le he ofrecido a miles de personas para que aprendan a estar conscientes de que su sistema nervioso está produciendo pensamientos que afectan su estado emocional.

Su vida se enriquece con una "dieta mental"

Mantenga esta dieta mental por diez días y automáticamente desarrollará los hábitos para mantener una actitud positiva que le enriquecerá su vida. Podrá alcanzar las metas que se ha propuesto y enriquecerá su trabajo.

- Identifique los pensamientos, sus representaciones internas y las emociones que producen felicidad, fuerza y gozo.
- Enfóquese en las metas que usted ha logrado en su vida.
- Reviva el entusiasmo, la motivación y la confianza que usted sintió cuando logró sus metas.
- Desenfóquese de las cosas que le quitan fuerza, retírese de las personas que lo sabotean, que tratan de robarle sus sueños y su visión.
- Por cada minuto negativo que pase necesitará once minutos positivos para volver a la normalidad.
- Si lleva muchos años negativos necesitará un milagro de Dios.

Pregúntese todos los días preferiblemente en la mañana:

1. ¿Qué me hace feliz hoy?
2. ¿Con qué estoy comprometido?

3. ¿Qué cosas van a suceder hoy que enriquecerán mi vida?
4. ¿Qué personas me enriquecen mi vida?
5. ¿De qué me siento orgulloso?
6. ¿Qué pienso hacer hoy que es importante para mi?

Cuando usted se hace estas preguntas su sistema nervioso se enfoca en las cosas positivas que le dan fuerza, vigor y entusiasmo. Cambie de canal moviendo sus dedos cada vez que es bombardeado por un pensamiento interno negativo producto de una situación externa que le quita fuerza. Dígase a sí mismo “esta situación no puede quitarme fuerza”.

Siete recomendaciones para mantenerse en “dieta mental”.

1. *Descanse:* Aliméntese bien, haga ejercicios, rodéese de gente que le enriquezca su vida.
2. *Escuche audiocasete:* Para alimentar su vida. Usted aprende cinco veces más rápido escuchando qué leyendo. Escuchar un mensaje varias veces se graba automáticamente en su mente. Esto le producirá nuevas ideas para aumentar su productividad.
3. *Vea videocasete:* Vea materiales que fortalezcan su conocimiento y le ayuden a enriquecer su vida. Grabe los programas de televisión que le puedan ayudar.
4. *Lea buenos libros:* Todo líder es un lector. Enriquezca su vocabulario y su conocimiento leyendo. Suscríbase a revistas que le ayuden a fortalecer su carrera profesional.
5. *Seminario:* Participe en seminarios que ayuden a desarrollar su conocimiento y a fortalecer su carrera.

6. *Buen humor:* Tenga buen humor, ríase de la vida, le ayudará a ver las cosas de una forma diferente y reducirá su tensión.
7. *Tómese un tiempo:* Todos los días tome un tiempo para pensar, reflexionar, meditar sobre usted y su vida. Póngase en un estado de relajamiento y relaje su cuerpo.

9

Sus actitudes fortalecen su autoestima

He podido ver en mis seminarios cómo una persona puede cambiar su autoestima, su visión y su forma de ver las cosas en cuestión de minutos. La autoestima es un estado mental. Es la manera cómo uno se siente, lo que piensa de sí mismo, de los demás y se puede medir y evaluar por la manera que hablamos y nos comportamos. La autoestima tiene una relación directa con nuestras creencias y con nuestro sentido de valorización, lo aprendemos desde muy pequeños a través de las experiencias que hemos vivido en nuestra familia, la escuela y la comunidad.

Cuando usted imagina y cree que puede hacer algo, tiene razón y tiene una buena autoestima, cuando visualiza y cree que no puede hacerlo también tiene la razón. Si usted tiene una actitud pesimista, llena de desaliento y derrota, el resultado final tendrá una relación directa con la manera cómo piense, su autoestima se convierte en el mapa que le dirige hacia un destino. Quiere decir que su éxito tiene una relación directa con la fe, la confianza, la actitud y el respeto que usted siente hacia sí mismo, hacia las personas a quienes les sirve y a sus proyectos. Esto va a producir armonía y paz en usted y en su gente.

Uno de los requisitos para tener una buena autoestima es tener la capacidad de asumir responsabilidad con nuestros pensamientos, deseos, sentimientos, actitudes y hábitos para actuar en una forma correcta donde produzcamos los resultados que deseamos alcanzar. Su autoestima lo retrata. Si usted es una persona que produce confianza, que respeta a sus clientes, que siente satisfacción por su persona y tiene el carácter para responder y actuar en una forma responsable, está destinado a convertirse en una persona de éxito.

La autoestima de la persona se empieza a desarrollar desde muy temprano en los primeros años de vida, la persona es condicionada por las experiencias, creencias y valores que aprende de sus padres, de sus maestros y amigos de la comunidad donde vive. Muchas veces se desarrollan sentimientos de inferioridad que son reforzados por creencias negativas que llevan a la persona a no creer en sí misma, a pensar que no sirve y que todo el mundo es superior a ella. El impacto sicológico, físico y emocional va a ser devastador porque llevará a la persona a desarrollar pensamientos e imágenes donde estará saboteándose, ya que en las trescientas mil horas de vida que tiene grabadas en su subconsciente estará recordando todas estas experiencias que le quitan fuerzas y le impiden desarrollar una buena autoestima.

Veamos algunos pasos que le pueden ayudar a fortalecer su autoestima:

1. Debe desarrollar un sentido de confianza y seguridad en su potencial, en sus capacidades y en sus talentos

La persona debe convencerse de que es una persona especial, que no hay una fotocopia suya en el mundo, entre los seis mil millones de personas que viven en el planeta Tierra. Le repito no hay una fotocopia, usted es un original. Es importante que hoy revise como está su nivel de confianza. ¿Qué cosas buenas sabe hacer? ¿Qué cosas está haciendo que lo están ayudando a ofrecer un buen servicio? Debemos reconocer que hay una fuerza suprema que creó este mundo y nos creó a nosotros. Dios con su amor infinito fortalece nuestra autoestima porque nos dice que nos creó semejantes a Él. Nos dio la sabiduría para dirigir este mundo y el amor como la mayor herramienta para desarrollar una buena autoestima, cuando nos dijo: "Amarás a tu prójimo como a ti mismo".

Una persona con una baja autoestima, no puede amarse porque no cree en sí mismo, no confía en nadie. Piensa que todo el mundo es superior a él.

Por lo contrario una persona con una buena autoestima refleja tener un balance espiritual, emocional y físico.

2. Para tener una buena autoestima se debe saber tomar decisiones

Sabemos tomar decisiones porque tenemos confianza y seguridad de que podemos hacer las cosas bien. Pero para hacerlo bien tenemos que saber en qué persona nos queremos convertir. Debemos identificar cuál es el estilo de vida que queremos desarrollar. Hay que identificar los valores que enriquecen nuestra vida y que nos van a ayudar a alcanzar las metas y los sueños que queremos conseguir.

Para tomar buenas decisiones tenemos que saber qué queremos hacer en nuestro trabajo. Tenemos que saber quiénes somos y cuáles son nuestros atributos que nos permiten realizarnos.

3. Para desarrollar una buena autoestima, hay que tener iniciativa

La desarrollamos cuando sabemos lo que queremos alcanzar y utilizamos nuestra imaginación para poder visualizar lo que queremos. Es importante que usted diariamente se pregunte: ¿Qué sucederá hoy que me va a ayudar alcanzar lo que quiero? Debe preguntarse: ¿Con qué estoy comprometido para garantizar que voy a utilizar toda mi imaginación para alcanzar las metas que me he propuesto en mi trabajo? Su imaginación es una de las herramientas más poderosas que Dios le ha dado para identificar soluciones a los obstáculos que se interponen en la consecución de sus metas. Esa imaginación le permite crear las alternativas para desarrollar la calidad de vida que aspira.

Lamentablemente desde muy pequeños nos destruyen la capacidad que tenemos para imaginar, porque nos cuestionan cuando nos dicen que no soñemos con pajaritos volando, que somos pobres y que no podemos alcanzar eso que aspiramos. Es tiempo que destruya las imágenes y las creencias negativas que le están saboteando su imaginación. No importa lo difícil que haya sido su pasado, su futuro no tiene que ser igual. Si usted se lo propone, empiece a visualizar en qué persona se quiere convertir, cuál es el estilo de vida que quiere desarrollar y cuál es la contribución que usted quiere hacer para las futuras generaciones. Automáticamente quitará los obstáculos que le están impidiendo utilizar su imaginación en una forma efectiva y desarrollará una buena autoestima.

4. Para desarrollar una buena autoestima se necesita tener un sentido de realización

Siempre recuerdo que cuando lograba una meta en mi niñez, me sentía lleno de entusiasmo, energía, confianza y seguridad. No hay nada que motive más a una persona que sentirse realizado y poder alcanzar sus metas, porque nos confirma que somos valiosos, que es posible, que se puede. Una de las dinámicas que recomiendo es autoevaluarse y revisar los éxitos que usted ha alcanzado. Los éxitos que hemos alcanzado en nuestra vida, las satisfacciones que producen revivir estos éxitos son poderosas.

Recuerdo que cuando puse mi primer negocio tenía doce años. Fue vendiendo zapatos por catálogos y recuerdo que visité la Central de Caña en mi pueblo natal San Sebastián en Puerto Rico. Me entrevisté con el señor Esteves, le mostré los catálogos de zapatos e inmediatamente me hizo una orden de dos pares y me dio los $10.00 de depósito. Me fui a mi casa muy contento porque sabía que mi negocio iba por buen camino. A las dos semanas me llama el señor Esteves para invitarme a que pasara por su oficina porque había quedado muy satisfecho con la calidad de los zapatos que le había vendido y varios supervisores querían comprar. Al otro día llegué a su oficina después de asistir a clase y me llevé la grata sorpresa que veinte supervisores deseaban comprar el mismo zapato que había comprado el señor Esteves. Se puede usted imaginar a un niño de doce años saliendo de una oficina con 20 órdenes y $100.00 en el bolsillo que era mi comisión. Debo aclarar que gastar cien dólares en 1965 era difícil. Ya que el cine costaba $0.50 centavos, un helado $0.10 centavos y un pedazo de pizza $0.25 centavos. Ese año vendí más de cien pares de zapatos a los empleados de la Central Plata y me convertí en un empresario a los doce años.

El inventario de las cosas positivas que usted ha logrado, es vital recordarlo porque le lleva a identificar las cosas buenas que usted ha alcanzado y lo lleva a analizar sus actitudes, carácter y hábitos. Pregúntese hoy:

- ¿Soy una persona optimista?
- ¿Soy una persona orientada hacia las metas?
- ¿Proyecto una autoestima positiva?
- ¿Tengo una vida balanceada?
- ¿Me siento feliz por ser quien soy?
- ¿Estoy disfrutando mi trabajo?

Estas preguntas nos llevan a identificar dónde estamos y hacia dónde vamos. Sería bueno que usted evaluara cómo ha sido su vida durante los últimos cinco años, espiritual, emocional, física, profesional y financieramente. Identifique cuáles han sido las cosas más importantes que ha logrado durante estos cinco años. Esto le dará un sentido de realización.

5. Para tener una buena autoestima hay que tener la capacidad de desarrollar intimidad

Tenemos que tener la habilidad de compartir nuestros sentimientos y desarrollar relaciones profundas con las personas. En mis seminarios siempre recomiendo identificar un mínimo de cien personas que enriquezcan su vida. Esto lo vengo haciendo por veinte años y en cada ciudad que visito he identificado un grupo de personas que tienen unos valores, unas creencias y una visión similar a la mía y esto nos permite enriquecernos la vida mutuamente. Es importante desarrollar relaciones profundas y tener la capacidad de transmitir nuestros sentimientos, porque esto nos da confianza y fortalece nuestra autoestima.

6. Otro paso importante para tener una buena autoesti ma es tener un espíritu de generosidad

Ser capaz de compartir lo nuestro sin esperar nada a cambio. Creo sinceramente que el espíritu de escasez lo genera una pobre autoestima. Pero cuando usted da y comparte lo que tiene desinteresadamente usted siembra. Quizás la persona que usted apoyó no fue recíproco con usted pero en cualquier momento esa siembra que hizo le producirá resultados.

7. El último paso para desarrollar una buena autoestima es la integridad, la honestidad

Es respetarse a sí mismo, es saber decir no cuando nuestros valores son amenazados con hábitos, actitudes y comportamientos que pueden afectarle. Deseo recomendarle que haga una dinámica para evaluar su autoestima. La primera sería contestar la pregunta: ¿Quién soy?

Tome papel y lápiz y escriba cinco palabras que describan las cosas positivas que tiene. En este papel puede escribir sus habilidades, su carácter y sus experiencias positivas. Lo importante es que describa quién es usted.

Otro punto importante es identificar y visualizar cuáles son los factores que le ayudan a desarrollar una buena autoestima. Puede ser cuando usted llega a su casa y su familia lo recibe; se alegran porque llegó y le confirman que es una persona importante. Que usted es un ser especial.

Puede ser cuando hace algo bien en su trabajo y sus clientes lo felicitan, o cuando recibe un reconocimiento por su excelente labor.

Saque tiempo para meditar y analizar todos los logros que ha alcanzado en su vida que le han impactado y le han ayudado a convertirse en la persona que es hoy. Lo importante es que la comunicación que tenga con Dios será la herramienta más fuerte para sanar su autoestima y mantenerla fuerte, vigorosa, llena de confianza y seguridad.

Ahora debemos revisar como está su autoestima. Lea las oraciones que aparecen a continuación, usted debe contestar si son ciertas o son falsas.

_____Se me hace difícil enfrentarme a mis errores.

_____Me gusta impresionar a la gente.

_____Se me hace difícil ver las cosas buenas de los demás.

_____Tengo dificultad para pedir disculpas.

_____Pienso que no estoy utilizando mi potencial.

_____A veces me pregunto: ¿Por qué no puedo tener más éxito?

_____A menudo me pregunto: ¿Para qué intentarlo? Si no lo lograré.

_____Con frecuencia se me hace difícil aceptar los cambios.

_____Posponer es uno de mis hábitos en mi trabajo.

_____Cuando alguien admira mi trabajo se me hace difícil creerlo.

_____A veces pienso que mis asociados no desean que yo triunfe.

_____Evito a la gente que pienso que no le caigo bien.

_____Mi actitud hacia la vida debe mejorar.

_____Con frecuencia se me hace difícil comunicar mis ideas.

Haga esta evaluación y si no la hizo vuelva a leerla. Si usted contestó más de la mitad con un sí, le recomendaría que dedicara un tiempo para analizar su vida y buscar ayuda profesional. Si por lo contrario contestó la mayoría de las afirmaciones con un no, usted tiene una buena autoestima y está en camino a producir buenos resultados en su vida. Debe comprometerse a dar lo mejor de usted, haga un compromiso de sacarle el jugo a la vida, valorice su persona, sus habilidades, sus talentos y visualice en qué persona se quiere convertir. Cuál será su contribución para las futuras generaciones. Cuáles serían los comentarios que le gustaría escuchar de sus amigos, de su familia, de sus seres queridos, que lo fortalecerán y enriquecerán su vida.

Vamos hacia adelante, superándonos, prepárese para vencer, para conquistar lo que le pertenece y piense que si no lo hace usted, estará perdiendo la oportunidad de disfrutar su vida y de utilizar el potencial que Dios le ha dado.

Estamos frente a una revolución tecnológica. En este momento en mi computadora, a través de internet, puedo leer diariamente las noticias más sobresalientes en diferentes periódicos como: USA Today, Orlando Sentinel, Chicago Tribune y otros cientos de periódicos. A través de la computadora puedo enviar en cuestiones de segundos un e-mail a cualquier parte del mundo. Puedo hacer mis reservaciones de hotel y auto en la computadora desde la tranquilidad de mi hogar o desde mi avión en vuelo. Puedo comprar productos, subscribirme a revistas y buscar información de vacaciones, negocios, finanzas, condiciones del tiempo. Inclusive puedo iniciar mi negocio a través de internet.

Lo que quiere decir que estamos expuestos a cambios radicales. La actitud se define como la manera en que nos comunicamos con nosotros mismos y con los demás. Es la forma en que contemplamos las cosas. Si somos positivos y optimistas porque las cosas están saliendo bien y estamos consiguiendo los resultados deseados, nuestra actitud confirma nuestro estado emocional que es uno lleno de euforia, de seguridad, de confianza y de determinación de que todo está bien.

La actitud se puede comparar con una cámara fotográfica, porque tiene un foco y ese foco mental suyo le permite ver el mundo exterior. Usted puede ver las situaciones que lo están afectando y las que lo están apoyando. Usted interpreta lo que le está sucediendo tanto en su ambiente como con las personas que lo rodean y las circunstancias que tiene que enfrentar.

Esto le permite tomar una fotografía imaginaria y puede visualizar con anticipación cómo espera usted que sucedan las cosas. Hay veces que llegan circunstancias no planificadas que lo llevan a uno a enfrentarse al dolor, al malestar, a la inseguridad, al fracaso y estas situaciones laceran nuestras actitudes y nos debilitan. Si nuestra autoestima es débil automáticamente caemos en un estado de depresión y nos vemos muy pequeños.

Es importante reconocer que nuestra actitud es cambiante y que requiere un mantenimiento preventivo para evitar caer en estados emocionales llenos de derrota. Son similares a los músculos de sus brazos y piernas que requieren ejercitarse para mantenerse fuertes. El músculo de la actitud se alimenta de las trescientas mil horas de vida que usted tiene grabadas en su subconsciente de las experiencias que vive diariamente y de la visión que tiene de su persona. Quiere decir que cuando estos pensamientos son predominantemente negativos el bombardeo de inseguridad, de duda, de falta de fe, sabotea la posibilidad de que usted pueda tener éxito.

¿Cómo es su actitud? Usted puede contestarme "a veces es positiva" o puede contestarme "depende con quién esté" o quizás me dice "es que yo estoy rodeado de muchas personas negativas". Las personas de éxito tienen la habilidad de recuperar el control de sus actitudes porque saben que si ellos no administran sus actitudes van a ser arrastrados por los pensamientos y actitudes negativas de las personas que les rodean.

Mi trabajo como consultor y conferenciante me convierte en un entrenador de actitudes. Mi responsabilidad es enseñarle a las personas a administrar sus actitudes, a reconocer cómo se producen, cómo se manifiestan, cómo lo apoyan o cómo lo destruyen. Saber que tenemos la capacidad de administrar nuestros pensamientos negativos, y de quitarles fuerza, de desechar los pensamientos que nos sabotean, esto nos convierte en personas especiales.

¿Por qué 90% de las personas no han sido adiestradas a administrar sus actitudes y son víctimas de un sinnúmero de situaciones que ellos no pueden controlar? ¿Cuál sería el beneficio de tener una actitud positiva? La respuesta a esta pregunta sería:

1. Una actitud positiva genera en usted un entusiasmo contagioso porque le hace sonreír, hablar con confianza y conseguir los resultados que desea.
2. Una actitud positiva le ayuda a desarrollar una creatividad productiva porque le permite pensar y convertir las ideas en acción.
3. Una actitud positiva le permite invertir su tiempo en las cosas vitales que necesita realizar para producir los resultados deseados.
4. Una actitud positiva le alimenta su alma y su espíritu para poder enfocarse en las cosas que le enriquecen y elimina las cosas que le debilitan.
5. Una actitud positiva se convierte en un hábito que le produce la energía de seguir luchando sin importar las adversidades que tenga que enfrentar.

El éxito de usted no debe estar basado en que las cosas sucedan, sino debe estar basado en su capacidad para provocar que las cosas sucedan. La fuerza de su actitud se produce cuando usted tiene una visión claramente definida hacia donde va. Se alimenta de sus planes de trabajo y de las estrategias para conseguir los resultados que desea. Usted me dirá: "J.R. ¡esto suena muy bonito!, pero la verdad del caso es que tengo situaciones que no me ayudan. Me levanto por la mañana bien motivado; pero cuando salgo y encuentro esas temperaturas congeladas o me encuentro con demoras de horas en el tráfico, o llego a mi oficina y lo que escucho son historias negativas, problemas, compañeros saboteándome"...

Es importante reconocer dos cosas: No es lo que le sucede sino es cómo usted interpreta lo que le sucede. No es lo que le sucede si no cómo reacciona a lo que le sucede. Si usted no es feliz en el ambiente que se está desarrollando puede cambiar eso ahora. Si usted quiere producir un cambio en su vida, debe analizar exactamente lo que no es perfecto, lo que le quita fuerza. Puede ser su trabajo, que no sea perfecto, las relaciones que tenga con su cónyuge, sus finanzas, su salud o su estado emocional. Las preguntas son:

- ¿Realmente quiere cambiar esto que no es perfecto?
- ¿Cuán importante es para usted cambiar esta situación?
- ¿Qué situaciones en el pasado usted recuerda que pudo cambiar?
- Deténgase en este momento y medite:
- ¿Qué cambio profundo pudo realizar en el pasado?

La disponibilidad suya para tomar control sobre sus actitudes es vital, si quiere producir un cambio profundo en su vida. Recomiendo que en este momento visualice un día especial donde tuvo control de sus actitudes, de sus pensamientos y de sus emociones. Puede ser que haya sido cuando se graduó de la universidad, consiguió su primer trabajo, inauguró su negocio o cuando disfrutó de unas vacaciones que le enriquecieron su vida. Reviva esos momentos y evalúe el estado emocional que le produjeron esos eventos. Usted puede recordar, por ejemplo cuando fue a recoger su diploma, el día en que se graduó. En ese momento usted se sintió contento porque llegó a una meta importante para su futuro. No podía sentirse deprimido porque estaba enfocado en las cosas que le hacían feliz.

Recuerde cuando consiguió su primer trabajo, el entusiasmo que sintió porque iba a comenzar a producir ingresos económicos. ¿Cómo era su actitud en ese momento? ¿Se sentía contento? ¿Se sentía entusiasmado? La verdad es que son momentos que nunca se olvidan.

El punto es que usted puede pensar en fracciones de segundos en cosas que lo enriquecen, que le dan fuerzas y lo llenan de entusiasmo. Hoy tenemos que readiestrar nuestro sistema nervioso para que se enfoque en las cosas que nos enriquecen y crear un corto circuito en las cosas que nos debilitan.

Cómo podemos cambiar las actitudes negativas

Las actitudes se cambian en cada momento de nuestra vida. Es como si usted tuviera un control remoto para cambiar los canales de su televisor que en cuestión de fracciones de segundos cambia del canal 2 al 4 al 8 sin ningún esfuerzo. Lo mismo sucede con nuestras actitudes.

Quiero recomendarle que durante el día de hoy esté consciente de todas las circunstancias que va a enfrentar y cómo estas situaciones van a impactar su estado emocional y sus actitudes. Una de las herramientas que uso es hacerme preguntas como: ¿Qué hay de bueno en esta situación adversa? Puede ser que sea una situación adversa pero cuando usted le pregunta a su sistema nervioso qué hay de bueno, no puede enfocarse en la adversidad sino en la oportunidad y en la posibilidad de sacarle el jugo a esa situación.

Otra pregunta que me hago: ¿Qué puedo aprender de esta situación? Si uno tiene la actitud de aprender de cada situación negativa que tiene que vivir, automáticamente va a desarrollar una actitud positiva ante la adversidad.

Otra pregunta que me hago: ¿Quién ha superado este obstáculo? ¿Quién me puede ayudar? Tenemos que identificar personas que han superado los obstáculos similares a los que usted ha tenido que enfrentar. Cuando recomiendo que identifique cien personas que le enriquecen su vida es porque estas personas tienen experiencias, y conocimientos que nos pueden ayudar a superar los obstáculos que se interponen en nuestras metas.

Otra recomendación que le doy a los estudiantes en nuestros seminarios es saber desintoxicarse continuamente, tanto de los pensamientos que ellos mismos generan, como de las circunstancias que tienen que enfrentar diariamente en su vida. Por ejemplo: le recomiendo que cada vez que llegue una tormenta negativa utilice la palabra "next" (próximo) y suene sus dedos. Viene alguien con una historia negativa suene sus dedos y dígale "next" (próximo). Si sale un pensamiento de su sistema nervioso negativo, lleno de inseguridad y de duda, diga "next", (próximo). Es importante que desarrolle este hábito. Esto le va a ayudar a estar alerta para impedir que los pensamientos negativos se ubiquen en su sistema nervioso y contaminen su vida.

Tenemos que estar constantemente en un proceso de autoevaluación, de revisión y de acción para fortalecer nuestras actitudes. De la misma manera que usted descansa todos los días, se alimenta, se baña, tiene que alimentar sus actitudes.

Cómo se alimentan sus actitudes

1. Rodéese de personas que le enriquecen su vida, que lo apoyen en sus metas, sean sus consejeros, tengan buenas actitudes y hábitos que le sirvan de modelo para que usted pueda desarrollar sus metas.

2. Alimente sus actitudes escuchando audiocasetes que le sirvan para fortalecer su autoestima, visión, estado emocional y sus actitudes.

3. Alimente sus actitudes leyendo libros que tengan una relación con su visión, su carrera y sus metas en el área de negocios, de la familia, de las finanzas y en el área espiritual. Toda persona que tiene actitudes positivas

tiene un vocabulario positivo y su conversación confirma que es una persona que alimenta sus actitudes.

4. Las personas que tienen actitudes positivas disfrutan de un buen carácter y de un buen humor. Saben que por cada minuto negativo que pasan necesitan once minutos positivos para volver a la normalidad. Saben reírse de la vida y ver las cosas desde un punto de vista positivo eliminando la tensión a las adversidades que se le presentan.
5. Las personas que alimentan sus actitudes sacan tiempo para reflexionar, pensar y meditar sobre su persona, identifican lo que no es perfecto en su vida y saben qué cosas son buenas y se pueden mejorar.
6. Las personas alimentan sus actitudes participando en seminarios que los ayuden a desarrollar sus conocimientos de tal manera que puedan desarrollar una vida balanceada y productiva.

Cuáles son las características de una persona que tiene actitudes positivas

1. Sabe reconocer el potencial que Dios le ha dado y utilizar la autoridad que tiene por ser hijo de Dios.
2. Su vida tiene significado, tiene un propósito definido y sabe en qué persona se quiere convertir.
3. Sabe administrar sus emociones y reconoce cuáles son las emociones que le dan fuerza y cuáles son las que lo debilitan.
4. Tiene un compromiso con su visión, su familia, su negocio y con las decisiones que está tomando para conseguir los resultados deseados.

5. Es una persona de acción que se enfoca en las soluciones y no en los problemas, y sabe que la perseverancia es el hábito de seguir luchando hasta llegar a conseguir los resultados que desea.
6. Su mayor fuerza es su creatividad, su capacidad de imaginar posibilidades. Es su fe, de que todo obra para bien.
7. Sabe generar energía, su energía física, emocional y espiritual la alimenta bien. Toda esta energía la utiliza para convertir lo invisible en visible, lo difícil en fácil y lo imposible en posible.
8. La persona alimenta sus actitudes trabajando, porque sabe que los resultados de su vida dependen de la calidad de decisiones que tome y que el precio del éxito se paga por adelantado y al contado y se paga trabajando.
9. La persona alimenta sus actitudes porque sabe asumir responsabilidad por su vida, su trabajo, su familia, y acepta las adversidades como oportunidades para crecer y realizar las metas a las que aspira.
10. La persona alimenta sus actitudes porque reconoce que sus creencias son la fuerza para cambiar su visión que a la misma vez pavimenta el camino para realizar los sueños que aspira.

Usted está equipado con todas las herramientas para tener éxito en su vida. Lo único que se requiere es que lo crea y tenga fe en el potencial que Dios le ha dado. Hoy usted tiene el compromiso de revisar sus creencias, de evaluar cuáles son aquellas que le dan fuerzas y cuáles son las que le quitan fuerzas. El compromiso suyo es el de establecer las creencias que le ayudarán a convertirse en un excelente servidor. Usted tiene todas las herramientas para ser feliz, para producir el cambio en su vida porque tiene la capacidad para cambiar. Sabemos que todo obra para bien. No hay fracasos, sólo hay resultados no deseados.

Le garantizo que si usted tiene el compromiso absoluto para producir un cambio en sus creencias, valores, actitudes, pensamientos y en sus hábitos no debe tener la menor duda de que está destinado a triunfar. Sabemos que su autoestima va a fortalecer su persona y va a producir la convicción para elevarse, impulsarse y empujar para buscar las soluciones a los obstáculos que se interponen en la consecución de sus metas.

Lo felicito, porque usted tiene la habilidad de convertir sus sueños en realidad. Usted tiene la capacidad de convertir lo invisible en visible, lo difícil en fácil y lo imposible en posible.

10

Preparándonos para los cambios

Existe un nuevo orden económico llamado globalización, donde las economías se armonizan en sus políticas y se establecen acuerdos de libre comercio. Uno de los más impactantes es el acuerdo de libre comercio entre Estados Unidos, Canadá y México, que reúne a más de 500 millones de consumidores con una capacidad de consumo de trillones de dólares. Quiere decir que se han creado nuevas comunidades económicas sin fronteras por primera vez en la historia. Para los próximos años se espera que en Latinoamérica se unan todos los países para realizar acuerdos económicos como el del Merco Sur que une Argentina, Brasil, Chile y Uruguay uniendo más de 150 millones de personas.

En los próximos años veremos más de 300 millones de latinoamericanos unidos en una sola economía sin fronteras con un potencial de desarrollo extraordinario. Otro avance en la década pasada fueron los recursos que se han desarrollado para la distribución de la información. Lo que significa que la revolución de las comunicaciones a través de la televisión, de internet, de videoconferencias, de fax y otros recursos, permiten que las personas estén informadas y puedan producir cambios en sus creencias, valores y actitudes en una forma rápida para poder crecer y desarrollarse.

Durante los últimos años hemos visto la privatización de las empresas. Lo que ha permitido poner los recursos en manos de personas que quieren ofrecer un servicio para la comunidad con el incentivo de tener un beneficio económico para los accionistas, garantizando un servicio de calidad a un precio razonable. Esto ha modificado la creencia de que la empresa tiene que mantener a sus asociados sobreprotegidos, sin necesidad de requerirle que el empleado aporte, se capacite y se mantenga en una actitud de ofrecer continuamente un buen servicio. La competencia continua ha hecho que las empresas sean más exigentes y requieran que sus asociados sean aliados en esta jornada de cambios ofreciendo un buen servicio.

Este proceso de globalización hace que mundialmente los estilos de vida sean más parecidos cada día. Lo vemos en los centros urbanos donde se ha desarrollado una cultura internacional. Durante los viajes que realizo, veo las características comunes que llevan a las personas a profundizar en sus valores religiosos, en su cultura y en su arte. Pero a la misma vez están dispuestos a estudiar las opciones para mejorar su calidad de vida y esto trae cambios en sus hábitos de alimentación y de compras, etcétera. Una de las cosas que se ha logrado en estos tiempos es concientizar sobre la importancia de la capacitación y el aprendizaje del personal.

Durante la última década se hablaba de la importancia del conocimiento. La frase era: "el conocimiento es poder". Pero después de un tiempo, nos dimos cuenta que el tener mucho conocimiento no garantiza el éxito de una empresa o de un individuo, si éste no sabe cómo usarlo. Es mucho más importante el poder entender, aplicar y utilizar efectivamente la información que tenemos, para desarrollarnos y ser más competitivos en este nuevo siglo. Vivimos en tiempos donde el aprendizaje juega un papel importante para poder desarrollar la empresa y el individuo para que puedan ofrecer un buen servicio.

Sabemos que los gobiernos necesitan de la ayuda de la empresa privada para educar a su personal, para que puedan utilizar la tecnología y los adelantos, para aumentar la productividad. Muchos gobiernos están ofreciendo incentivos contributivos a las empresas para que puedan ponerse al día y capacitar a su personal. Nuestra organización de adiestramiento ha estado cumpliendo con esta encomienda, ayudando a miles de personas y a cientos de empresas, a fortalecer no solamente su inteligencia intelectual, sino también su inteligencia emocional, para producir una organización flexible ante los cambios y enfocada a fortalecer a su gente para ofrecer un mejor servicio, consiguiendo así una empresa más exitosa.

La década del 2000 dará paso al liderazgo femenino. La mujer ha asumido una posición de participar en este momento histórico de cambios, aprovechando las oportunidades que se le han ofrecido a través de las pequeñas empresas. Hoy la mujer dirige su propio negocio, participa en posiciones de alta responsabilidad y ha demostrado su capacidad para mantener un balance entre su vida personal, su familia y su trabajo.

Durante muchos años le he dado servicios a cientos de empresas que trabajan con la mujer. Una de estas empresas es Mary Kay Cosmetic, a través de esta empresa le he podido hablar a más de 30 mil mujeres de todos los Estados Unidos y Latinoamérica, ofreciéndoles nuestras herramientas de desarrollo personal y gerencial. Hoy en día existen organizaciones que comercian sus productos a través de la mujer y son mucho más exitosas que otras que no ven a la mujer como un recurso importante. Hoy existe una nueva mujer muy diferente a la del siglo IXX, que sabe equilibrar el trabajo con el hogar y establece un balance entre su actitud y sus aptitudes. Una mujer que es joven de espíritu, madura en todas sus etapas; permanentemente atractiva, inteligente, lee, se educa y tiene un sentido de entendimiento que se proyecta a que no solo decidirá quien dirija el futuro de su gobierno, sino que también tomará parte en ese proceso de cambios participando activamente en posiciones de liderato. La mujer ha superado todos los limites que se le establecieron en los siglos pasados, su liderazgo en el siglo XXI será impactante. Las veremos en todas las áreas, en la política, en el diseño de moda, en la educación, en la medicina, en el comercio, sin olvidar su gran responsabilidad de ser madre, esposa y amiga.

La mujer del siglo XXI se proyecta como una persona íntegra, equilibrada, administrando sus emociones y su inteligencia para enfrentarse a los cambios que se avecinan. Ya que en la toma de decisiones jugará un papel importante con respecto a qué se va a comer, qué lugar se visitará, qué ropa se utilizará y qué automóvil se comprará.

Nuestras abuelas y bisabuelas nunca se imaginaron que sus nietas y bisnietas pudieran estar ejerciendo un liderato tan fuerte en este nuevo siglo, a pesar de que ellas tuvieron que pagar un precio muy alto ante las ideas, los valores y las creencias de que ellas no podían participar en el proceso de cambio de aquellos tiempos.

Tenemos la responsabilidad de darle respuestas y sentido a nuestras vidas. Significa que somos socios de Dios. En la encomienda de cuidar a nuestra gente, ofrecerle un buen servicio, proteger nuestras tradiciones culturales, religiosas y nuestra libertad para desarrollarnos y ser mejores seres humanos. Tenemos un llamado para educarnos, para dar lo mejor de lo nuestro con el compromiso de apoyar a las futuras generaciones a que tengan una mejor calidad de vida. Para lograr esto tenemos que fortalecer nuestra familia, tenemos que participar como voluntarios en los grupos y organizaciones que estén colaborando en el fortalecimiento de nuestra comunidad.

Durante el siglo XXl según los analistas, antes del 2010, se fomentará que las personas trabajen desde su hogar. Se proyecta que la computadora, el teléfono, el internet, pasarán a ser herramientas indispensables para desarrollar el trabajo y aumentar el tiempo libre. Todos estos cambios producirán una nueva sociedad incomunicada y muchas personas se sentirán solas y deprimidas. Será necesario desarrollar una revolución social donde podamos volver a nuestras raíces e identificar a otras personas que enriquezcan nuestra vida.

Esto llevará a aumentar la responsabilidad individual, la persona tendrá que aprender a utilizar su potencial, reconocer sus aptitudes y saber enfocar sus talentos para mejorar su calidad de vida. La flexibilidad en el horario de trabajo será algo normal, esto permitirá la oportunidad de viajar, educarse y conocer otras culturas. Se proyecta que los grandes hoteles, paradores y centros turísticos estarán llenos, ya que permitirá que las personas puedan trabajar desde el cuarto del hotel y sus niños puedan estudiar desde el mismo lugar a través de internet y los videoconferencias.

El estilo de vida será de mayor interacción. Se buscará producir confianza con las personas que uno comparte, se preferirá lo auténtico, lo natural. Se protegerá la salud buscando una alimentación sana y utilizando los alimentos como medicina preventiva.

Habrá un mayor deseo por mantenerse educado y entrenado. Lo que significa que las personas cuidarán de sus vidas para mantenerse saludables y vigorosos para poder disfrutar de una calidad de vida exitosa. Una de la batallas que tendremos que dar los que tengan 50 años hoy es cómo mantenerse jóvenes. El auge en el uso de vitaminas, suplementos nutritivos, tratamientos que retrasen el envejecimiento, los gimnasios y actividades que motivarán a las personas a mantenerse saludables y en contacto con generaciones más jóvenes. Se proyecta que las personas buscarán vivir una vida más tranquila intentando lograr una estabilidad económica ya que existirán nuevos retos para conseguirla.

Los expertos en estudiar la conducta del consumidor informan que en los próximos años se desarrollarán ciertas tendencias que producirán unos cambios en los estilos de vida de las personas:

1. Las personas buscarán mantener una familia unida utilizando los recursos para producir la flexibilidad y poder compartir el tiempo que dispongan.
2. Las dificultades financieras motivarán a las personas a crear conciencia de la importancia de ahorrar.
3. La búsqueda de los valores, la creación de confianza. Preferirán lo natural y lo auténtico.
4. La importancia de mantenerse en continua preparación a través de la computadora y la nueva tecnología.
5. La buena alimentación, cuidar su salud y tener un estado físico lleno de energía.
6. El exigir más por el servicio o el producto que compran.

La disponibilidad de información y de recursos a través de la tecnología y el internet, hará más difícil poder complacer al consumidor. Todos estos puntos harán que el mercado cambie y se produzcan unas nuevas oportunidades para el nuevo siglo en el área de finanzas, entretenimiento, alimentación, asesoramientos, estilos de viviendas, productos de seguridad, servicios de salud, productos de oficinas, para el hogar, etcétera.

Estas demandas crearán un escenario donde tendremos un cliente más exigente y menos leal, y la competencia aprovechará esto para mantenernos motivados en buscar nuevas formas de cómo ofrecer nuestros productos o servicios en una forma más eficiente y más económica. Tendremos que cultivar los valores humanos, el amor, el humor, la confianza, el entusiasmo, y nuestros sueños para mantener viva la llama de la esperanza. Construiremos una sociedad donde el individuo se desarrolle apoyado por el amor, la ética y la responsabilidad de que en la unidad de un bien común podemos crear un mundo mejor.

La calidad del compromiso que usted tenga en ofrecer un buen servicio determinará los resultados que usted alcanzará

La palabra compromiso la utilizamos muchas veces sin pensar lo que significa. La palabra compromiso significa un pacto, un acuerdo, algo valioso que defender o desarrollar sin importar los retos que represente. Muchas veces las personas rompen su compromiso sin pensar en las consecuencias que le traerá esa decisión.

Cuando usted dice: "estoy comprometido en ofrecer buen servicio", usted está confirmando su disponibilidad a romper unas creencias que pueden impedirlo, a cambiar el orden de sus prioridades, revisar y cambiar la interpretación de las experiencias negativas que usted ha vivido, que pueden ser el mayor obstáculo para convertir sus sueños en realidad.

Se preguntará usted: ¿Por qué será que las personas, unos días tienen un compromiso poderoso? y dicen: "Hoy me llevo al mundo de frente, estoy comprometido a hacer lo que haya que hacer para lograr mi meta, sin importar las adversidades que se presenten". Unos días después usted lo vuelve a ver y es otra persona, lo ve deprimido, su voz no tiene fuerza, se dice a sí mismo: "no puede con su vida". ¿Será que bajó el nivel de compromiso de esa persona? No necesariamente.

Personalmente eso me ha sucedido muchas veces. Todo sale mal, los proyectos se cancelan o se posponen, las personas no cumplen lo que ofrecieron. Muchas veces tengo un gran compromiso en realizar un proyecto, pero no tengo la energía necesaria para realizarlo, estoy cansado y tenso a pesar de que tengo el deseo y el compromiso de realizarlo. Otras veces tengo tantas situaciones adversas que atender que no puedo enfocarme en mi compromiso. Quiere decir que mi nivel de compromiso no va a depender necesariamente de las decisiones que tome sino también tengo que contar con mi realidad personal. Por eso es importante que usted se conozca y sepa cuál es la fuerza que lo motiva. Tenemos que visualizar que tenemos una sola vida y que los resultados que vamos a conseguir nos deben motivar para movernos y realizar lo que queremos.

Para producir la fuerza de la motivación para lograr el cambio se requiere:

1. **Identificar lo que uno desea cambiar. Para lograr esto tenemos que autoevaluarnos. Por ejemplo: en nuestra área física:**

- ¿Cómo está nuestra dieta?
- ¿Cómo está nuestro programa de ejercicio?
- ¿Nuestro peso es el ideal o tenemos sobrepeso?
- ¿Cuándo fue la ultima vez que se hizo un examen físico?
- ¿Cómo está su colesterol y su presión?
- ¿Cómo están su dentadura y sus encías?

Con estas simples preguntas usted puede definir qué parte de su área física necesita atención, cambiar o mejorar. ¿Qué le falta que no es perfecto?

2. ¿Cómo se encuentra espiritualmente?

- ¿Cómo está su relación con Dios?
- ¿Qué cosas todavía no son perfectas en esta área?
- ¿Cómo puedo mejorar mi crecimiento espiritual?
- ¿Qué personas me pueden ayudar a fortalecer mi área espiritual?
- ¿Mi área espiritual es buena, es excelente o necesita mejorar?

3. ¿Su área financiera cómo se encuentra?

- ¿Qué todavía no es perfecto?
- ¿Cuánto se ha ganado en estos últimos cinco años?
- ¿Tengo establecidas metas financieras?
- ¿A qué edad me quiero retirar?
- ¿Tengo un programa para financiar la educación de mis hijos?
- ¿Tengo un fondo de emergencia parar cubrir tres meses de gastos?

Cuando uno se hace este tipo de preguntas su mente se abre y empieza a identificar las cosas que están bien, lo que no es perfecto y qué acción hay que tomar para normalizar o cambiar su situación financiera.

4. En el área de su familia ¿cómo se encuentra?, es vital que evaluemos cómo está su relación con sus familiares.

- ¿Qué cosas podemos hacer para enriquecerle la vida a nuestra familia?
- ¿Cómo podemos mejorar la comunicación y las relaciones?
- ¿Qué tiempo estamos dedicando para compartir con nuestra familia?
- ¿Cuáles son las metas que tenemos en conjunto donde podemos compartir y desarrollarnos?
- ¿Qué todavía no es perfecto?

5. En el área de su trabajo.

- ¿Cómo está su equipo de trabajo?
- ¿Qué cosas buenas tiene el equipo de trabajo?
- ¿Qué hay que mejorar para ofrecer un mejor servicio?
- ¿Qué cambios debo dar para mejorar mi trabajo?

Cuando empezamos a hacer esta dinámica nos damos cuenta que la vida es muy corta, los años pasan tan rápido que si no tomamos control y nos enfocamos en las cosas que queremos realizar, vamos a llegar a la vejez lamentándonos.

Muchas veces he escuchado a personas decir: ¡ Si yo pudiera comenzar de nuevo! ¡Si hubiera hecho esto! Mi invitación en este día es que usted comience a desarrollar las fuerzas dormidas que están dentro de usted e identifique qué es lo que usted desea cambiar en su vida, en su trabajo, con su familia y su negocio. Una vez que usted identifica lo que desea, el segundo paso es definir el valor que tiene para usted eso que desea.

La gran mayoría de las personas no fracasan por falta de recursos o de conocimiento sino porque cambian de rumbo y de objetivos cada vez que se encuentran con un obstáculo y lo hacen por no tener definido sus valores y sus objetivos. La ventaja de tener definidos los valores es que nos ayuda a identificar los obstáculos que se interponen en la consecución de nuestras metas y a la misma vez nos ayudan a buscar soluciones para alcanzar lo que queremos.

Le garantizo que el definir lo que usted quiere cambiar en su vida le va a dar la fuerza para producir la fe, la confianza, la seguridad y la determinación para conseguir los deseos y los sueños que usted quiere conquistar y producir una vida más balanceada. Usted tiene la fuerza para cambiar. Podemos cambiar cuando tenemos claro el significado de nuestra vida y de nuestro trabajo. Cuando tenemos metas definidas, cuando conocemos a Dios, cuando utilizamos la chispa interna que nos mueve hacia la realización de nuestros sueños.

Podemos cambiar porque tenemos motivo por qué vivir, dirección adónde ir, porque tenemos la seguridad interna de que tenemos la capacidad que se requiere para conseguir los resultados deseados en nuestra vida. Podemos cambiar porque tenemos el entusiasmo que revitaliza nuestra visión y sabemos adónde nos dirigimos. Porque tenemos el deseo que genera una fuerza interna, que mientras otras personas nos dicen que no podemos, que no perdamos el tiempo, que otros lo han intentado y no lo han logrado, la conciencia nos confirma que hay que continuar, que hay que seguir hasta encontrar la fórmula de superar los obstáculos que se interponen en la consecución de nuestras metas.

Podemos cambiar porque Dios nos dio las herramientas para visualizar las cosas que nos gustaría alcanzar, porque tenemos la capacidad de definir con exactitud lo que necesitamos y lo que deseamos alcanzar. Tenemos la capacidad de generar la química para establecer los deseos que revolucionan nuestra forma de pensar, revitalizan nuestro entusiasmo, producen energía y nos automotivan a identificar el proceso para realizar nuestros sueños.

Podemos cambiar porque tenemos todos los requisitos para tener éxito en la vida. Tenemos la capacidad de pensar, crear, imaginar las posibilidades y alternativas para superar los obstáculos que se interponen en la consecución de nuestras metas. Tenemos la creatividad, la energía, la fe y el compromiso para enfrentarnos a los problemas que se nos presentan con la confianza que mientras más grande sea el problema que tengamos que enfrentar, mayor oportunidad tendremos de utilizar el potencial que Dios nos ha dado y reconocer cuán grandes son nuestras capacidades.

Poseemos la capacidad de controlar nuestro carácter, tenemos la sabiduría y la inteligencia para enfrentarnos a las circunstancias adversas, desarrollando un espíritu de lucha que transmite confianza y seguridad de que todo tiene solución.

Sabemos controlar nuestras emociones, nuestra imaginación, nuestra creatividad, nuestro entusiasmo y podemos definir nuestra visión para buscar las alternativas que nos permitan conseguir soluciones.

Podemos convertir nuestras ideas, nuestros pensamientos y nuestros sentimientos en acción. Tenemos la capacidad de levantar el espíritu de la gente que nos rodea y motivarlos a tomar acción para conseguir los resultados deseados. Sabemos acariciar nuestra visión, alimentamos nuestros sueños, nuestras metas y nuestros objetivos y no descansamos hasta hacerlo realidad.

No sólo es importante reconocer que podemos cambiar, sino también reconocer la importancia de tomar acción, de hacer lo que hay que hacer y hacerlo ahora.

Debemos desarrollar el compromiso de invertir nuestro tiempo en las cosas vitales

De asumir la responsabilidad de hacer lo que hay que hacer. Le puedo garantizar que nadie puede hacer por usted lo que le corresponde. Como arquitecto, diseñador y director del futuro de su vida usted será el único responsable de producir el cambio para conseguir los resultados que desea. Hoy usted ha tomado la decisión de tomar control de sus pensamientos. Identificando los pensamientos que le enriquecen su vida y eliminando las experiencias que le quitan fuerzas, porque usted sabe cómo desarrollar la fuerza de la motivación. Porque conoce los valores que le enriquecen su vida. Sabe lo que lo motiva y está consciente que la calidad de su vida, está relacionada con la calidad de sus valores. Sabe identificar los valores que tiene que eliminar para convertirse en la persona que usted aspira. Está convencido que es la única persona responsable por los resultados alcanzados en su vida.

Las decisiones que tomó en el pasado dieron como resultado el hoy y las decisiones que tome hoy darán como resultado su futuro. Usted sabe que para producir la fuerza de la motivación se requiere identificar lo que usted desea en todas las áreas de su vida. En el área física, emocional, financiera, familiar y espiritual. Usted sabe identificar el valor que tienen esos sueños y esas metas. Para poder contestar las preguntas:

- ¿Quién es usted?
- ¿Qué significado tiene su vida?
- ¿En qué persona se quiere convertir?

Es necesario que sepa identificar lo que desea en su vida. Su vida tiene un significado porque tiene metas definidas, conoce a Dios y esa relación le produce la chispa interna que le mueve hacia la realización de sus sueños. Tiene fuerza para cambiar porque sabe convertir sus ideas, sus pensamientos y sus emociones en acción. Porque tiene la capacidad de levantar el espíritu de las personas que le rodean y logra motivarlos a tomar acción para conseguir los resultados deseados. Usted sabe acariciar sus sueños, sabe alimentar su visión, sus metas y sus objetivos y no descansa hasta hacerlo realidad. Sabe cómo tomar acción, sabe hacer lo que hay que hacer y sabe hacerlo ahora.

Ha asumido la responsabilidad de pavimentar el camino para que las futuras generaciones puedan disfrutar de una mejor calidad de vida. Usted tiene la fe de ver lo que aún no se ve. Porque tiene definidos sus planes y sus estrategias para conseguir los resultados deseados. Tiene la pasión para conseguir sus metas. Esta pasión le produce la energía, lo impulsa a trabajar, a desarrollar y pensar cómo conseguir lo que desea, no se rinde. Porque es una persona perseverante que sigue luchando hasta alcanzar sus sueños.

Reconozco hoy que ha asumido responsabilidad con su futuro. Su tiempo es una de sus mayores riquezas. Usted posee más de trescientas mil horas de vida para invertirlas en el desarrollo de su futuro. Usted sabe diferenciar entre lo que es vital e importante, entre lo que es importante y urgente y produce el balance en su estilo de vida, utilizando bien su tiempo. Sabe cómo desarrollar una buena autoestima. Su autoestima lo retrata. Usted es una persona que genera confianza, transmite respeto y actúa en una forma responsable.

Usted tiene una buena autoestima porque es una persona madura. Tiene un profundo sentido de seguridad, en su potencial, en sus capacidades y en sus talentos. Es una persona especial, porque no hay una fotocopia de su persona. Es un original, único entre los seis mil millones de personas que viven en el planeta Tierra.

Usted tiene una buena autoestima porque sabe reconocer lo que hace bien. Sabe tomar buenas decisiones, sabe el estilo de vida que quiere desarrollar. Usted tiene iniciativa para producir resultados y esto le produce un sentido de realización.

Su espíritu de generosidad es extraordinario y sabe que para recibir hay que dar. Hay que saber compartir lo nuestro sin esperar nada a cambio. Usted es una persona íntegra y honesta, sabe decir no cuando sus valores son amenazados por personas que tratan de cambiarle sus creencias y su carácter. Porque está comprometido en dar lo mejor de usted, porque está comprometido a sacarle el jugo a la vida. No hay duda que sabe valorizar su persona, sus habilidades y sus talentos para convertirse en la persona que aspira ser. Se comporta como una persona próspera y balanceada espiritual, emocional y físicamente. Sabe administrar su salud, su estado emocional, sus pensamientos y transmite la confianza de que sabe adónde se dirige.

Usted sabe que va en camino a enfrentarse a grandes cambios en este nuevo siglo. Usted genera una actitud positiva hacia los cambios. Esa actitud positiva le lleva a desarrollar una creatividad productiva que le alimenta su vida, su alma y su espíritu, y le permite enfocarse en las cosas que le enriquecen y elimina las cosas que le debilitan. Usted se rodea de gente que le enriquece su vida, que le sirve de modelo para desarrollar sus metas. La gente lo admira porque tiene un buen carácter y buen humor. Usted sabe alimentar sus actitudes estudiando materiales que le enriquecen su vida, fortalecen sus conocimientos y su autoestima.

Usted es una persona inteligente que conoce la importancia que tiene invertir bien su tiempo en leer libros que fortalezcan sus conocimientos y su vocabulario. Usted alimenta sus actitudes porque invierte tiempo en reflexionar, meditar sobre su persona y analiza constantemente lo que no es perfecto en su vida y las cosas que puede mejorar. Usted es su mejor motivador porque tiene metas específicas. Se siente amado, conoce a Dios y sabe que tiene una chispa interna que lo mueve hacia la realización de sus deseos y lo convierte en el mejor motivador del mundo.

Usted sabe que motivarse significa saber que tenemos motivo por qué vivir, dirección adónde ir, seguridad interna en nuestras capacidades y una fe absoluta de que Dios tiene interés en nuestra vida. Usted posee esa fuerza interna que lo impulsa a buscar alternativas y soluciones a los obstáculos que se interponen en la consecución de sus objetivos. Porque tiene un entusiasmo contagioso que revitaliza su visión y confirma hacia dónde se dirige. Mientras otras personas dicen que usted no puede, le recomiendan que no pierda el tiempo porque otros lo han intentado y no lo han logrado, la conciencia le confirma que hay que continuar luchando hasta encontrar las fórmulas para superar los grandes obstáculos.

Usted posee la fe para alcanzar sus metas, esa fe es la gasolina que genera la energía para moverse a conquistar lo que le pertenece. Nunca pero nunca luche sin determinación, sin perseverancia y sin convicción porque sería como tratar de vivir la vida sin oxígeno. Los resultados que consiga hoy servirán de inspiración para usted y para la gente que le rodea. La gente se queja de los resultados pobres que están alcanzando y no saben que ellos son los responsables por no planificar lo que quieren. Viven una vida improvisada imitando a gente común y corriente que producen resultados comunes y corrientes.

Quiero garantizarle algo, que nadie puede hacer nada por usted. Que como director de su vida será el responsable de todos los resultados que usted consiga. Recuerde que nació para triunfar, que usted está destinado a triunfar. Usted tiene el reto de pavimentar el camino para que otros se puedan desarrollar y poder garantizar que en el futuro tendremos los líderes para dirigir las futuras generaciones. Usted genera el entusiasmo en la gente que le rodea y ellos confían en que su determinación y su firmeza son la mejor garantía para ayudarlos a conseguir el éxito a que ellos aspiran.

Usted está decidido a reorganizar su vida para un nuevo comienzo. Estoy convencido que ha tomado la decisión de convertirse en un portavoz de este mensaje y unirse a miles de personas que hoy son ejemplo vivo de que realmente podemos tener éxito. El reto que usted tiene hoy es el de enfrentarse a una contaminación masiva de ansiedades, depresiones, inseguridad y falta de fe que le rodea, donde la gente está convencida de que no hay esperanza para producir un cambio. Tenga cuidado y esté alerta, porque esa contaminación es un veneno silencioso que se va acomodando en su alma, en sus pensamientos, en su espíritu. Puede contaminarlo y convencerlo de que ellos tienen razón. He adiestrado mi sistema nervioso para identificar con rapidez las personas que están contaminadas y que consciente o inconscientemente vienen con la actitud de quitarme fuerza y tratar de venderme que las cosas están mal.

A estas personas les comunico que mi éxito no va a depender de esa situación que ellos me están presentando. Tenemos que recordar que la gente de éxito no invierte más de 10% de su tiempo en los problemas y 90% de su tiempo lo invierten en las soluciones. Sabemos que por cada minuto negativo que pasamos necesitamos once minutos positivos para volver a la normalidad y si llevamos 8 o 10 años negativos necesitamos un milagro de Dios.

Muchas personas me han dicho: ¡Es que las cosas están muy malas! Puede ser que la persona esté pasando por un momento difícil, un divorcio, una enfermedad, una pérdida de un ser querido, o por adversidades financieras, pero todo ésto es pasajero, no es permanente. Tenemos que darnos cuenta de que estamos rodeados de bendiciones.

Todos los días le doy gracias a Dios por las bendiciones que tenemos. Hemos avanzado más durante estos últimos cien años que en los pasados seis mil años de historia que tiene la Tierra. Lo bonito de esto es que vamos a crecer y avanzar más en los próximos años que en los pasados cien años. Estamos frente a una revolución científica, económica, financiera, política y tecnológica. Donde los países del mundo se integran y comparten conocimientos, experiencias y oportunidades que nos van a permitir desarrollar nuestros negocios a nivel mundial. Estamos rodeados de grandes oportunidades. Nos tenemos que organizar, adiestrarnos, aprender a utilizar la tecnología, afiliarnos a compañías que nos apoyen y nos provean las herramientas para desarrollarnos y poder utilizar nuestro potencial y nuestras habilidades.

Si después de leer todo esto, no está convencido de que existen grandes oportunidades y que tenemos que prepararnos para el cambio, lo lamento mucho, pero no se sienta mal, no todos aprendemos a la misma velocidad, no todos tenemos la capacidad de visualizar lo que queremos. A veces a una persona le toma cinco minutos ver esta visión, a otros le puede tomar cinco años, a otros le puede tomar cincuenta años y hay otros que pasan por esta vida y no van a tener la oportunidad de recibir esta información.

Usted se tiene que sentir privilegiado porque ha recibido una herramienta que le va a fortalecer su vida, su visión y le va a dar la fuerza para seguir adelante. Espero poder saludarle personalmente en algún momento y que me pueda contar sobre sus grandes victorias, sus avances, su desarrollo y sus éxitos. Si no nos vemos puede escribirme al apartado:

P.O.Box 617221
Orlando, Florida 32861-7221

o comunicarse a través de nuestras páginas en Internet:
www.motivando.com.

Lo importante es que usted sepa que me interesa su futuro y me alegraría mucho saber que este libro le sirvió para ofrecer un buen servicio. Le garantizo que usted puede. Le pido de favor que haga suyo este mensaje, le exhorto a que se convierta en portavoz y lo comparta con las personas que le rodean. Es lo que llamo conseguir un balance personal para poder ofrecer un buen servicio. Ese balance requiere un mantenimiento preventivo para poder enfrentarse a las circunstancias que requieren mayor energía. Es vital contar con las reservas para pagar el precio del éxito, que se paga por adelantado y al contado; se paga trabajando; no se puede cargar a una tarjeta de crédito.

El compromiso, es recargar la visión que uno tiene. Le permite enfocarse en el plan de trabajo que usted desea desarrollar. Le produce un entusiasmo contagioso que impacta a las personas que le rodean y les motiva a seguir adelante sin importar el tamaño de las adversidades que tenga que enfrentar. Los beneficios de estar comprometido con sus metas son extraordinarios, especialmente cuando usted quiere ofrecer un buen servicio.

Recomiéndele este libro a algún compañero o amigo que usted aprecie

Cuando tenemos la oportunidad de leer un libro que enriquece nuestro trabajo, sentimos el deseo de compartir el mensaje con las personas que nos son más queridas. Estamos seguros que la lectura de este libro será de gran ayuda para ellos. Podrá entregarle una copia de este libro a las personas que usted elija, añadiéndole un mensaje de inspiración que le sirva de confirmación que este libro le será de gran ayuda.

Pensé que este libro le puede ayudar:

A mi compañero:______________________________
A mi esposo(a):________________________________
A mi supervisor:_______________________________
A mis hijos:____________________________________
A mis hermanos:_______________________________
A mis suegros:_________________________________
A mi socio:____________________________________
A mi pastor:___________________________________
A mi vecino:___________________________________
A mis nietos:__________________________________

Regale un ejemplar de este libro y se sentirá feliz. Adquiéralo en su librería favorita o llame en EE.UU. 1-800-767-7726, fuera de los EE.UU. Teléfono 305-592-6136, fax 305-592-0087, website: www.editorialunilit.com

Algunos de los seminarios que ofrece el conferenciante J.R. Román

1. Motivando a nuestra gente
2. Fortaleciendo el compromiso de su equipo de trabajo
3. El líder como agente motivador
4. El arte de servir con efectividad
5. Fortaleciendo las destrezas del vendedor
6. El proceeso de la venta exitosa
7. Fortaleciendo su inteligencia emocional
8. ¿Cómo trabajar con personas difíciles?
9. Fortaleciendo sus estrategias para alcanzar el éxito
10. ¿Cómo lograr el éxito en su negocio?
11. Reorganizando sus finanzas
12. ¿Cómo desarrollar su negocio en el Internet?
13. Despegue 2000: Reorganizando su vida en 14 días
14. Somos la fuerza del cambio
15. Los retos del líder en el Siglo XXI
16. Formas para producir el cambio

Si desea contratar los servicios del conferenciante internacional J.R. Román para desarrollar algunos de sus seminarios en su empresa o en su próxima convención, le sugerimos que se comunique a nuestras oficinas:

Teléfono: 407-294-9038 EE.UU. 1-800-393-9038
Fax: 407-578-5827
Webside: www.motivando.com
O escriba a: P.O. Box 617221, Orlando, Fl. 32861-7221